LUTANDO CONTRA A
INCREDULIDADE

CB071666

JOHN PIPER

LUTANDO CONTRA A INCREDULIDADE

FIEL
Editora

P665l Piper, John, 1946-
　　　　Lutando contra a incredulidade / John Piper ;
　　　[traduzido por Ingrid Rosane de Andrade Fonseca] –
　　　São José dos Campos, SP : Fiel, 2014.
　　　176 p. ; 14x21cm.

　　　Tradução de: Battling unbelief.
　　　Inclui referências bibliográficas.
　　　ISBN 978-85-8132-180-6

　　　1. Cristianismo. 2. Teologia prática. 3. Vida
　　　cristã. I. Título.

　　　　　　　　　　　　　　　　　　　　CDD: 248

Catalogação na publicação: Mariana Conceição de Melo – CRB07/6477

Lutando contra a Incredulidade

Traduzido do original em inglês
Battling Unbelief
por John Piper

Copyright © 2007 by Desiring God Foundation

Publicado por Multnomah Publishers, Divisão da Random House, Inc.
12265 Oracle Boulevard, Suite 200, Colorado Springs, CO 80921

∎

Copyright © 2014 Editora Fiel
Primeira edição em português: 2014

Todos os direitos em língua portuguesa reservados por Editora Fiel da Missão Evangélica Literária
PROIBIDA A REPRODUÇÃO DESTE LIVRO POR QUAISQUER MEIOS, SEM A PERMISSÃO ESCRITA DOS EDITORES, SALVO EM BREVES CITAÇÕES, COM INDICAÇÃO DA FONTE.

∎

Diretor: Tiago J. Santos Filho
Editor-chefe: Vinicius Musselman Pimentel
Editor: Tiago J. Santos Filho
Tradução: Ingrid Rosane de Andrade Fonseca
Revisão: Elaine Regina Oliveira dos Santos
Diagramação: Rubner Durais
Capa: Rubner Durais

ISBN: 978-85-8132-180-6
ISBN: 978-85-8132-208-7

FIEL Editora

Caixa Postal 1601
CEP: 12230-971
São José dos Campos, SP
PABX: (12) 3919-9999
www.editorafiel.com.br

Para
Ruth Eulalia Piper
1918–1974
Que a sua memória seja honrada
na santidade de seus herdeiros

Sumário

Introdução 9

1 | Lutando Contra a Ansiedade 21

2 | Lutando Contra o Orgulho 37

3 | Lutando Contra a Vergonha Inapropriada 57

4 | Lutando Contra a Impaciência 73

5 | Lutando Contra a Cobiça 91

6 | Lutando Contra a Amargura... 107

7 | Lutando Contra o Abatimento 123

8 | Lutando Contra a Lascívia 139

Conclusão 155

Notas 163

Introdução

Em *To End All Wars* [A Última das Guerras], Ernest Gordon conta a história real de um grupo de prisioneiros de guerra que trabalhava na Ferrovia da Birmânia, durante a II Guerra Mundial. A cena tornou-se ainda mais inesquecível devido ao filme homônimo.

O dia de trabalho havia terminado; as ferramentas estavam sendo contadas, como de costume. No momento em que a tropa estava prestes a ser dispersada, o guarda japonês gritou que uma pá estava faltando. Ele insistiu que alguém a havia roubado para vender aos tailandeses. Avançando a passos largos, para cima e para baixo diante dos homens, ele discursava e os condenava por sua perversidade e pela mais imperdoável de toda sua ingratidão ao Imperador. Enquanto esbravejava, ele levou a si mesmo a uma fúria paranoica. Gritando em um inglês caótico, ele exigiu que o culpado desse um passo à frente para receber a sua punição. Ninguém se moveu; a ira do guarda atingiu novos patamares de violência.

"Matar todos! Matar todos!", ele gritou.

Para mostrar que realmente intencionava fazer o que havia dito, ele ergueu o seu rifle, apoiou-o em seu ombro e olhou na mira, pronto para atirar no primeiro homem no final da fila.

Naquele momento, o Argyll [Highlander] deu um passo à frente, ficou em posição de sentido e disse calmamente: "Eu fiz isso".

O guarda liberou todo o seu ódio acumulado; ele chutou o prisioneiro indefeso e lhe bateu com os punhos. Ainda assim, o Argyll se mantinha em posição de sentido, com o sangue escorrendo pelo rosto. O seu silêncio levou o guarda a uma raiva excessiva. Segurando o seu rifle pelo cano, ele o ergueu bem alto acima da cabeça e, com um grito final, golpeou fortemente o crânio do Argyll, que desabou inerte ao chão e não se moveu. Apesar de estar perfeitamente claro que ele estava morto, o guarda continuou a espancá-lo e só parou quando estava esgotado.

Os homens que haviam sido designados para trabalhar pegaram o corpo de seu camarada, colocaram suas ferramentas sobre os ombros e marcharam de volta para o campo. Quando as ferramentas foram contadas novamente na casa de guarda não faltava pá alguma.[1]

O guarda tinha contado errado. O jovem soldado que deu um passo à frente não havia roubado a pá. Ele havia dado a sua vida por seus amigos.

O que Acabou de Acontecer? Mera Devoção ao Dever?

Há mais de uma maneira de elogiar o sacrifício desse jovem. Uma seria dizer: "Esse é o tipo de devoção ao dever do qual precisamos mais, nesses dias de egocentrismo e covardia". Outra seria dizer – assim é como eu diria – "Esse é o tipo de amor que a *fé na graça futura* libera. Precisamos muito mais desse tipo de amor nestes dias de egocentrismo e covardia".

Essas duas formas de elogiar o sacrifício não estão necessariamente em conflito. Mas podem estar. A primeira forma fala de uma espécie de "devoção ao dever". A segunda fala do poder transformador da fé nas promessas de Deus. Ao contrastar essas duas, temos de perguntar: Que tipo de dever foi esse? Essa é a questão crucial. A ação externa não é conclusiva. O que estava se passando no coração – em relação a Deus e ao próximo? A Bíblia nos adverte que pessoas podem sacrificar suas vidas, mas não amar as pessoas ou a Deus. "E ainda que eu distribua todos os meus bens entre os pobres e *ainda que entregue o meu próprio corpo para ser queimado*, se não tiver amor, nada disso me aproveitará" (1 Coríntios 13:3). Quando o apóstolo Paulo diz isso, ele quer dizer que existe um tipo de "devoção ao dever" que Deus não honra. Não vale de nada.

Isso pode parecer estranho, já que o próprio Jesus disse: "Ninguém tem maior amor do que este: de dar alguém a própria vida em favor dos seus amigos" (João 15:13). Sim, isso é o que um grande amor faz. Entrega a sua vida. Mas para essa ação ser verdadeiramente amorosa depende do que está acontecendo no coração, não apenas da ação externa.

O Fruto da Fé na Graça Futura

Outra maneira de descrever o sacrifício do jovem soldado é dizer que a fé na graça futura brotou em seu coração e lhe deu o amor e a coragem para dar a vida por seus amigos. Ele pode ter pensado por um instante: "Jesus, tu morreste por mim. Meus pecados estão perdoados. Eu tenho a vida eterna. Eu amo a ti. Tu és o meu maior tesouro. Eu anseio estar contigo. Meus amigos não estão todos prontos para morrer. Eu estou. O viver é Cristo e o morrer é lucro. Aqui vou eu". Talvez ele tenha levado quinze segundos para lembrar a si mesmo do que Cristo havia feito por ele e do que isso significava para o seu futuro após a morte. Então, sustentado pela sua fé nas promessas de Deus, ele deu um passo à frente e morreu. Esse é o fruto da fé na graça futura.

A diferença entre o sacrifício que resulta da devoção pura ao dever e o sacrifício que resulta da fé na graça futura de Deus é que o primeiro realça a minha forte determinação, e o segundo coloca em destaque a glória da graça de Deus. O objetivo deste livro é magnificar o valor de Cristo ao alimentar a fé na graça futura e ajudar os cristãos a combater o oposto, a saber, a incredulidade nas promessas de Deus, que conduz ao pecado que desonra a Cristo.

De onde o Livro Veio

Os oito capítulos que se seguem são retirados de um livro muito maior intitulado *Graça Futura: O Caminho Para Prevalecer*

Sobre as Promessas Enganosas do Pecado.² Esses são os capítulos de aplicação – aqueles que realmente mostram como a fé na graça futura corta a raiz do pecado e libera o fluxo de amor. O nosso foco está no desafio prático de como nos libertar da ansiedade, do orgulho, da vergonha inapropriada, da impaciência, da cobiça, da amargura, do abatimento e da lascívia. A minha convicção é que a incredulidade nas promessas de Deus (isto é, na graça futura) é a raiz do que sustenta a vida desses pecados. Daí o título: *Lutando Contra a Incredulidade*.

É um risco publicar esses oito capítulos sem os vinte e três capítulos que os rodeiam e sem explicar os fundamentos e implicações encontrados na *Graça Futura*. Mas eu penso que o risco é válido. Muitas pessoas se movem a partir da aplicação de volta para o fundamento, em vez do contrário. Então, eu estou esperançoso de que a descoberta, neste livro menor, de algumas das maneiras que a fé trabalha para nos libertar do pecado levará muitos leitores à obra maior para uma compreensão bíblica mais profunda.

Nós Lutamos pela Fé na Graça Futura

"Lutando Contra a Incredulidade" é outra maneira de dizer "Vivendo pela fé na graça futura". A "incredulidade" que eu tenho em mente é a falta de confiança nas promessas de Deus, que sustentam a nossa obediência radical no futuro. Essas promessas se referem ao que Deus planeja fazer por nós no futuro, e é isso que eu quero dizer com graça futura. É *graça*, porque é bom para nós e totalmente imerecido. E é *futura,* porque não nos aconteceu ainda, mas pode acontecer nos próximos cinco segundos ou nos próximos cinco mil anos.

Para o cristão, as promessas de Deus são maravilhosas. Elas dizem respeito ao nosso futuro imediato, antes que esse minuto passe, e ao nosso futuro eterno.

- "E o meu Deus, segundo a sua riqueza em glória, há de suprir, em Cristo Jesus, cada uma de vossas necessidades" (Fp 4:19)
- "Bondade e misericórdia certamente me seguirão todos os dias da minha vida" (Sl 23:6)
- "Nenhum bem sonega aos que andam retamente" (Sl 84:11)
- "Vosso Pai se agradou em dar-vos o seu reino" (Lc 12:32)
- "Eu sou o teu Deus; eu te fortaleço, e te ajudo, e te sustento com a minha destra fiel" (Is 41:10)
- "Porque tudo é vosso... seja o mundo, seja a vida, seja a morte, sejam as coisas presentes, sejam as futuras, tudo é vosso, e vós, de Cristo, e Cristo, de Deus" (1Co 3:21-23)
- "Todas as coisas cooperam para o bem daqueles que amam a Deus, daqueles que são chamados segundo o seu propósito" (Rm 8:28)
- "E eis que estou convosco todos os dias até à consumação do século" (Mt 28:20)
- "Nem a morte, nem a vida... nem qualquer outra criatura poderá separar-nos do amor de Deus, que está em Cristo Jesus, nosso Senhor" (Rm 8:38-39)

Essas, e outras centenas mais, estão na Bíblia para sustentar a nossa fé na graça futura de Deus. O presente final ao fim de todas elas é o próprio Deus. Cristo não morreu principalmente para fazer as coisas irem bem para nós, mas para nos conduzir a Deus. "Também Cristo morreu, uma única vez, pelos pecados, o justo pelos injustos, *para conduzir-vos a Deus*" (1 Pedro 3:18). "Quem tenho eu no céu senão a *ti*? e na terra não há quem eu deseje além de *ti*" (Salmo 73:25, ACRF). "Digo ao SENHOR: Tu és o meu Senhor; outro bem não possuo, senão a ti somente" (Salmo 16:2). "Sim, deveras considero tudo como perda, por causa da sublimidade do conhecimento de *Cristo Jesus, meu Senhor*" (Filipenses 3:8). Jesus ora: "Pai, a minha vontade é que onde eu estou, estejam também comigo os que me deste, *para que vejam a minha glória*" (João 17:24). O presente final, melhor, maior e mais satisfatório da graça futura é ver e desfrutar do próprio Deus.³

Aprendendo a Combater Fogo com Fogo

Estar satisfeito com tudo o que Deus promete ser para nós em Jesus Cristo é a essência da fé na graça futura. Tenha em mente que, quando falo da fé na graça futura ou satisfação naquilo que Deus promete ser para nós, eu estou assumindo que uma parte essencial dessa fé e dessa satisfação é uma compreensão de Cristo como o substituto para suportar o nosso pecado, cuja obediência perfeita a Deus nos é imputada através da fé. Em outras palavras, a fé na graça futura abarca a *base* de todas as promessas, bem como as promessas em si. Ela entesoura Cristo como aquele cujo sangue e justiça fornecem o fundamento para toda a graça futura. *E* entesoura tudo o que Deus agora promete ser para nós em Cristo, por causa da obra fundamental. Sempre que falo de fé como sendo satisfeita em tudo o que Deus é para nós em Jesus, estou incluindo tudo isso nessa fé.

Essa fé é o poder que corta a raiz do pecado. O pecado tem poder por causa das promessas que faz a nós. Ele fala assim: "Se você mentir na sua declaração de imposto de renda, você terá dinheiro extra para conseguir aquilo que lhe fará mais feliz". "Se você olhar esta pornografia, você terá uma onda de prazer que é melhor do que as alegrias de uma consciência limpa." "Se você comer estes biscoitos quando ninguém estiver olhando, isso amenizará o seu senso de remorso e ajudará a lidar com a situação melhor do que qualquer outra coisa agora." Ninguém peca por obrigação. Nós pecamos porque acreditamos nas promessas enganosas que o pecado faz. A Bíblia adverte "que nenhum de vós seja endurecido pelo *engano* do pecado" (Hebreus 3:13). As promessas do pecado são mentiras.

Lutar contra a incredulidade e pela fé na graça futura significa que combatemos fogo com fogo. Nós lançamos as promessas de Deus contra as promessas do pecado. Nós nos agarramos a alguma grande promessa que Deus fez sobre o nosso futuro e dizemos a um pecado em particular: "Faça igual"! Dessa forma, fazemos o que Paulo diz em Romanos 8:13, "Se pelo Espírito, mortificardes os feitos do corpo". John Owen escreveu um livro baseado nesse versículo e resumiu com, "Esteja matando o pecado, ou ele estará matando você".[4] Nós mortificamos os feitos pecaminosos antes que eles aconteçam, quando cortamos a raiz que lhes sustenta: as mentiras do pecado.

Fazer isso "pelo Espírito" significa que confiamos no poder do Espírito e, então, manejamos a "espada do Espírito", que é a palavra de Deus (Efésios 6:17). A "palavra de Deus" é, em seu âmago, o evangelho, e então tudo o que Deus falou na sua palavra revelada. O evangelho da morte e ressurreição de Cristo não é apenas o núcleo, mas o fundamento de todas as promessas de Deus. Esse é o ponto da lógica de Romanos 8:32: "Aquele que não poupou o seu próprio Filho, antes, por todos nós o entregou, porventura, não nos dará graciosamente com ele todas as coisas"? "Todas as coisas" que precisamos – o cumprimento de todas as promessas de Deus – são garantidas pelo Pai ao não poupar o seu Filho. Ou, para colocar de forma positiva, todas as promessas de Deus estão garantidas a nós porque Deus enviou seu Filho para viver e morrer, a fim de cancelar os nossos pecados e tornar-se a nossa justiça. Então, quando eu digo que nós manejamos a Palavra de Deus, a espada do Espírito, o que quero dizer é que nós nos apegamos fortemente a essa verdade do evangelho centralizado em Cristo, com todas as suas promessas, e confiamos nelas em cada situação. Nós cortamos a corda de salvamento do pecado pelo poder de uma promessa superior. Ou, dito de forma mais positiva, nós liberamos o fluxo de amor pela fé na graça futura. Nós nos tornamos pessoas amorosas ao confiar nas promessas de Deus.

Jesus Amava Assim

A Bíblia diz que Jesus suportou a cruz "em troca da alegria que lhe estava proposta" (Hebreus 12:2). Em outras palavras, o maior ato de sacrifício amoroso já realizado foi sustentado pela confiança de que Deus faria Jesus passar através dele para a alegria eterna com um povo redimido e adorador. Essa é a maneira como o nosso amor é mantido também.

Mas existe uma diferença. A nossa disposição de suportar os sacrifícios de amor "em troca da alegria que nos está proposta" foi comprada pela disposição de Jesus em fazer o mesmo.

O seu sofrimento cobre os nossos pecados e nos liberta para amar. O nosso sofrimento no caminho do amor é baseado no dele. A alegria futura veio a ele como seu *direito*. A nossa chega a nós como *graça* comprada com sangue. O seu sofrimento não é apenas um modelo. É o fundamento da nossa esperança. Nós somos salvos do pecado e do juízo pelo seu sofrimento. No entanto, tanto o seu quanto o nosso é suportado "em troca da alegria que nos está proposta". A alegria dele era um direito futuro. A nossa é graça futura.

Portanto, sem a morte e ressurreição de Jesus – isto é, sem a graça *passada* – nós não podemos esperar graça futura alguma. A graça futura de Deus para conosco foi comprada e garantida pela sua graça passada a nós na morte e ressurreição de Jesus. Como vimos, Paulo diz isso em um dos mais maravilhosos versículos da Bíblia. "Aquele que não poupou o seu próprio Filho, antes, por todos nós o entregou (graça passada), porventura, não nos dará graciosamente com ele todas as coisas (graça futura)?" (Romanos 8:32). Observe a lógica gloriosa do céu: *Porque* Deus não poupou sofrimento ao seu Filho ao nos salvar, *por isso*, ele não poupará esforços onipotentes para nos dar tudo o que precisamos para sempre. Graça futura absolutamente segura virá para aqueles que confiam em Cristo, porque Deus garantiu isso, infalivelmente, ao não poupar seu Filho.

Nós Lutamos como Vitoriosos

Os versículos seguintes dizem: "Quem intentará acusação contra os eleitos de Deus? É Deus quem os justifica. Quem os condenará? É Cristo Jesus quem morreu ou, antes, quem ressuscitou, o qual está à direita de Deus e também intercede por nós"

(Romanos 8:33-34). Isso significa que, por causa de Cristo, Deus nos justificou. Passado. Nós somos agora considerados justos em Cristo. Ninguém pode apresentar uma acusação bem sucedida contra nós. Cristo morreu por nós e vive por nós. Assim, lutamos contra a incredulidade e o pecado como aqueles que, em Cristo, já têm a vitória decisiva. Nós já temos a nossa posição no céu pela fé em Cristo. Cristo é a nossa justiça. Cristo é a nossa perfeição. Nós buscamos a santidade, não porque não sejamos aceitos ainda por Deus, mas porque nós somos. Esta é a maneira como Paulo coloca isso: "Prossigo para conquistar aquilo para o que também fui conquistado por Cristo Jesus" (Filipenses 3:12).

Então, eu convido você a participar comigo na luta contra a incredulidade nas promessas de Deus. Eu convido você a lutar a batalha da fé na graça futura. E eu convido você a se alegrar porque podemos lutar esta luta, não como se não importasse, mas sabendo que importa infinitamente, e que Deus está conosco até o fim: "Não te assombres, porque eu sou o teu Deus; eu te fortaleço, e te ajudo, e te sustento com a minha destra fiel" (Isaías 41:10).

Em me vindo o temor,
hei de confiar em ti.
Salmo 56:3

Lançando sobre ele toda a vossa ansiedade,
porque ele tem cuidado de vós.
1 Pedro 5:7

Portanto, não vos inquieteis, dizendo:
Que comeremos?
Que beberemos?
Ou: Com que nos vestiremos?
Porque os gentios é que procuram todas estas coisas;
pois vosso Pai celeste sabe que necessitais de todas elas;
Mateus 6:31-32

Capítulo Um

LUTANDO CONTRA A ANSIEDADE

Um Triunfo Pessoal Através da Graça Futura

Quando eu estava cursando o Ensino Médio, eu não conseguia falar na frente de um grupo. Eu ficava tão nervoso que a minha voz engasgava completamente. Não eram as borboletas comuns com as quais a maioria das pessoas lida. Era uma inaptidão horrível e humilhante. Isso trouxe uma ansiedade imensa à minha vida. Eu não conseguia apresentar oralmente os relatórios de livros na escola. Eu não podia concorrer a qualquer cargo da classe, porque eu teria de fazer discursos de campanha. Eu conseguia apenas dar respostas – palavras separadas – muito curtas às perguntas que os professores faziam em sala de aula. Na aula de álgebra, eu tinha vergonha de como as minhas mãos tremiam quando resolvia algum problema no quadro negro. Eu não conseguia liderar, nos domingos em que a nossa igreja confiava os cultos aos jovens.

Houve muitas lágrimas. Minha mãe lutou comigo o tempo todo, apoiando e incentivando. Nós fomos sustentados pela graça de Deus, ainda que o "espinho" na minha carne não fosse removido. Eu consegui chegar à faculdade sem nenhum discurso público significativo. Mas a luta contra a ansiedade era intensa. Eu sabia que a minha vida seria incrivelmente limitada se não houvesse superação. E eu suspeitava que eu não seria capaz de terminar a faculdade sem falar em público. Na verdade, a *Wheaton College* exigia que fizéssemos uma classe de oratória nesse tempo. Isso se ergueu diante de mim como uma terrível barricada de concreto.

Em todos esses anos, a graça de Deus havia me conduzido de forma mais profunda a Deus em desespero, ao invés de dirigir-me para longe de Deus em ira. Eu agradeço a Deus por isso, com todo o meu coração. A partir desse relacionamento que amadurecia, veio a sensação de que precisaria haver uma superação.

Uma oportunidade crucial surgiu na aula de espanhol no meu primeiro ano. Todos nós tínhamos de discursar brevemente em espanhol na frente do resto da classe. Não havia maneira de contornar isso. Eu senti como se essa fosse uma situação de vai ou racha. Mesmo enquanto eu escrevo sobre isso agora, eu não rio. Eu memorizei o discurso de uma ponta à outra. Eu imaginei que memorizar significaria que eu não teria de olhar para as notas e, eventualmente, me perder e ter uma daquelas pausas paralisantes terríveis. Eu também arrumei um jeito de falar de trás de um grande atril de madeira no qual eu pudesse segurar, a fim de que a minha tremulação pudesse ser mais bem controlada. Mas a principal coisa que eu fiz foi clamar a Deus e confiar nas suas promessas de graça futura. Mesmo agora, as lágrimas vêm aos meus olhos enquanto eu me recordo de caminhar para frente e para trás no campus da faculdade, implorando a Deus por uma superação na minha vida.

Eu não me lembro desses momentos da aula de espanhol muito claramente. Eu só me lembro de que eu consegui. Todo mundo sabia que eu estava nervoso. Houve aquele terrível silêncio que acontece quando as pessoas se sentem mal por você e não sabem como reagir. Mas eles não riram como outros haviam feito em anos anteriores. E o professor foi gentil com seus comentários. Mas o fato mais importante foi que eu consegui. Mais tarde, eu derramei o meu agradecimento a Deus sob o sol de outono. Mesmo agora eu sinto profunda gratidão pela graça que Deus me concedeu naquele dia.

Talvez o acontecimento mais decisivo para a superação tenha vindo um ano depois. Eu estava na faculdade para as aulas de verão. O Capelão Evan Welch me convidou para orar na capela da escola. Várias centenas de estudantes e docentes estariam presentes. A minha primeira reação foi a rejeição imediata da ideia. Mas antes que eu pudesse rejeitá-la, algo me parou. Eu me encontrei perguntando: "Quão longa a oração tem de ser"? Ele disse que não importava. Ela deveria apenas vir do meu coração.

Agora, isso eu nunca havia nem tentado – falar com Deus na frente de centenas de pessoas. Eu me espantei ao dizer que iria fazê-lo. Essa oração, eu acredito, provou ser um momento decisivo na minha vida. Pela primeira vez, eu fiz um voto com Deus. Eu disse: "Senhor, se o Senhor permitir que eu consiga fazer isso sem deixar a minha voz falhar, eu nunca mais rejeitarei a ti uma oportunidade de falar, por motivo de ansiedade". Isso foi em 1966. O Senhor respondeu com preciosa graça novamente e, até onde vai o meu conhecimento, eu mantive a minha promessa.

A história vai mais além, à medida que uma graça futura tem sido derramada após a outra. Eu não presumo compreender plenamente todos os propósitos de Deus em relação ao seu tempo. Eu não gostaria de reviver os meus anos na escola. A ansiedade, a humilhação e a vergonha tão comuns, meio que lançam uma sombra sobre todos aqueles anos. Centenas de orações subiram, e o que desceu não era o que eu queria naquele momento – a graça de perseverar. A minha interpretação agora, trinta anos mais tarde, é que Deus estava me mantendo distante de vaidade excessiva e mundanismo. Ele estava me fazendo ponderar sobre coisas importantes na solidão, enquanto muitos outros foram deslizando despreocupadamente para padrões superficiais de vida.

A Bíblia que meus pais me deram quando eu tinha quinze anos está ao meu lado agora sobre a mesa. Ela está bem marcada. A garantia de Mateus 6:32 está sublinhada em vermelho: "Vosso Pai celeste sabe que necessitais de todas elas". Já nos primeiros anos da adolescência, eu estava lutando para viver pela fé na graça futura. As vitórias foram modestas, assim parece. Mas, ó, quão fiel e generoso Deus tem sido.

Os Companheiros da Ansiedade

Nas décadas que se seguiram, eu aprendi muito mais sobre a luta contra a ansiedade. Aprendi, por exemplo, que a ansiedade é uma condição do coração que dá origem a muitos outros estados pecaminosos da mente. Pense, por um momento, quantas diferentes ações e atitudes pecaminosas vêm de ansiedade. A ansiedade sobre as finanças pode dar origem à cobiça, à ganância, à mesquinharia e ao roubo. A ansiedade sobre ser bem-sucedido em alguma tarefa pode torná-lo irascível, áspero e grosseiro. A ansiedade sobre relacionamentos pode tornar você distante, indiferente e insensível a outras pessoas. A ansiedade sobre como alguém lhe responderá pode fazer você encobrir a verdade e mentir sobre as coisas. Assim, se a ansiedade pudesse ser dominada, um golpe mortal atingiria a muitos outros pecados.

A Raiz da Ansiedade

Eu também aprendi algo sobre a *raiz* da ansiedade e o machado que pode cortá-la. Um dos textos mais importantes foi o que eu sublinhei quando tinha quinze anos – todo o trecho de Mateus 6:25-34. Quatro vezes nesta passagem, Jesus diz que seus discípulos não deveriam estar ansiosos. Verso 25: "Não andeis ansiosos pela vossa vida". Verso 27: "Qual de vós, por ansioso que esteja, pode acrescentar um côvado ao curso da sua vida"? Verso 31: "Não vos inquieteis, dizendo: Que comeremos"? Verso 34: "Não vos inquieteis com o dia de amanhã".

A ansiedade é claramente o tema deste texto. Ele torna a raiz da ansiedade explícita no versículo 30: "Ora, se Deus veste assim a erva do campo, que hoje existe e amanhã é lançada no forno, quanto mais a vós outros, homens de pequena *fé*"? Em outras palavras, Jesus diz que a raiz da ansiedade é a fé inadequada na graça futura do nosso Pai. Quando a incredulidade obtém vantagem em nossos corações, um dos efeitos é a ansiedade. A causa básica da ansiedade é a falta de confiança em tudo o que Deus prometeu ser para nós, em Jesus.

Eu consigo pensar em dois tipos de reações confusas a essa verdade. Deixe-me lhe dizer quais são e, então, dar uma resposta bíblica a cada uma delas antes de olharmos mais de perto a luta contra a incredulidade da ansiedade.

Essa é Uma Boa Notícia?

Uma reação seria assim: "Isso não é uma boa notícia! Na verdade, é muito desanimador saber que aquilo que eu pensava ser uma mera luta contra uma disposição ansiosa é antes uma luta muito mais profunda com a minha confiança em Deus". A minha resposta a isso é concordar, mas em seguida discordar. Suponha que você estivesse sentindo dor no estômago e lutando com medicamentos e dietas de todos os tipos sem obter sucesso. E então, suponha que o seu médico lhe diz, após uma visita de rotina, que você tem câncer em seu intestino delgado. Essa seria uma boa notícia? Você diz: Enfaticamente, não! E eu concordo.

Mas deixe-me fazer a pergunta de outra maneira: Você está contente que o médico tenha descoberto o câncer enquanto ainda é tratável e que, na verdade, o tratamento possa ser muito bem sucedido? Você diz: sim, eu estou muito contente que o médico tenha encontrado o verdadeiro problema. Mais uma vez eu concordo. Assim, descobrir que você tem câncer não é uma boa notícia. É uma má notícia. Mas, em outro sentido, é bom saber, porque saber o que está realmente errado é bom, especialmente quando o seu problema pode ser tratado com sucesso.

É assim que é saber que o problema real por trás da ansiedade é a incredulidade nas promessas da graça futura de Deus. Em certo sentido, não é uma boa notícia, porque a incredulidade é um câncer muito grave. Mas, em outro sentido, é uma boa notícia porque saber o que está realmente errado é bom, especialmente porque a incredulidade pode ser tratada com muito sucesso pelo nosso Grande Médico. Ele é capaz de trabalhar maravilhosamente em formas de cura, quando clamamos: "Eu creio! Ajuda-me na minha falta de fé!" (Marcos 9:24).

Então, eu quero salientar que descobrir a conexão entre a nossa ansiedade e nossa incredulidade é, de fato, uma notícia muito boa, porque é a única maneira de concentrar a nossa luta na causa real do nosso pecado e obter a vitória que Deus pode nos dar pela terapia da sua Palavra e do seu Espírito. Quando Paulo disse: "Combate o *bom* combate da fé" (1 Timóteo 6:12), ele o chamou de bom, porque a luta está focada exatamente sobre o câncer correto: incredulidade.

Como Eu Posso Ter Qualquer Garantia?

Existe outra reação possível à verdade de que a nossa ansiedade está enraizada na nossa incapacidade de viver pela fé na graça futura. Ela é assim: "Eu tenho de lidar com sentimentos de ansiedade quase todos os dias; e, então, eu sinto que a minha fé na graça de Deus deve estar totalmente inadequada. Assim, eu me pergunto se eu posso ter qualquer garantia de ser realmente salvo".

A minha resposta a essa preocupação é um pouco diferente. Suponha que você esteja em um carro de corrida, e o seu rival, que não quer que você termine a corrida, jogue lama no seu para-brisa. O fato de você perder temporariamente de vista o seu objetivo e se desviar um pouco não significa que você desistirá da corrida. E, certamente, não significa que você esteja na pista errada. Caso contrário, o rival não o incomodaria de maneira alguma. O que isso significa é que você deve ligar os seus limpadores de para-brisa e usar o jato de água.

Quando a ansiedade atinge e turva a nossa visão da glória de Deus e da grandeza do futuro que ele planeja para nós, não significa que nós sejamos pessoas sem fé ou que não entraremos no céu. Significa que a nossa fé está sendo atacada. No primeiro golpe, a nossa crença nas promessas de Deus, talvez, crepite a se desviar. Mas, se conseguirmos permanecer na pista e cruzar a linha de chegada, dependerá se, pela graça, daremos início a um processo de resistência – se lutaremos contra a incredulidade da ansiedade. Será que ligaremos os nossos limpadores de para-brisa e usaremos o jato de água?

O Salmo 56:3 diz: "Em me vindo o temor, hei de confiar em ti". Perceba que ele não diz: "Eu nunca luto contra o medo". O medo atinge, e a batalha começa. Portanto, a Bíblia não assume que os verdadeiros crentes não terão ansiedades. Em vez disso, a Bíblia nos diz como lutar, quando elas atacam. Por exemplo, o texto de 1 Pedro 5:7 diz: "Lançando sobre ele toda a vossa ansiedade, porque ele tem cuidado de vós". Ele *não* diz: Você jamais sentirá qualquer ansiedade. Ele diz: Quando você as tiver, lance--as sobre Deus. Quando a lama bater em seu para-brisa, e você temporariamente perder de vista a estrada, e começar a se desviar em ansiedade, ligue os seus limpadores e esguiche o jato de água no para-brisa.

Então, a minha resposta para a pessoa que tem de lidar com sentimentos de ansiedade a cada dia é dizer: Isso é mais ou menos normal. Pelo menos é para mim, desde a minha adolescência. A questão é, como lutamos contra eles?

Os Dois Grandes Construtores da Fé

A resposta para essa pergunta é: Nós lutamos contra as ansiedades lutando *contra* a incredulidade e lutando *pela* fé na graça futura. E a maneira de lutar este "bom combate" é meditando nas garantias de Deus da graça futura e pedindo a ajuda de seu Espírito.

Os limpadores de para-brisas são as promessas de Deus que limpam a lama da incredulidade, e o jato de água é a ajuda do Espírito Santo. A batalha para se libertar do pecado é "pelo *Espírito*" (Romanos 15:16; 2 Tessalonicenses 2:13; 1 Pedro 1:2) e "pela verdade" (João 17:17, 19). A obra do Espírito e a Palavra da verdade – especialmente a verdade fundamental do evangelho que garante todas as promessas de Deus. Estes são os grandes construtores da fé.

Sem o trabalho de abrandamento do Espírito Santo, os limpadores da Palavra apenas arranham sobre a sujeira ofuscante da incredulidade. Ambos são necessários – o Espírito e a Palavra. Nós lemos as promessas de Deus e oramos pela ajuda de seu Espírito. E à medida que o para-brisa se torna limpo, de modo que podemos ver o bem-estar que Deus planeja para nós (Jeremias 29:11), a nossa fé se torna mais forte e o desvio da ansiedade se suaviza.

Sete Promessas da Graça Futura Contra a Ansiedade

Como isso realmente funciona na prática? Aqui em Mateus 6, temos o exemplo de ansiedade acerca de alimentos e vestimentas. Mesmo nos Estados Unidos, com o seu extenso sistema de assistência, a ansiedade em torno de finanças e habitação pode ser intensa. Mas Jesus diz, no versículo 30, que isso decorre da fé inadequada na promessa de graça futura do nosso Pai: "homens de *pequena fé*". E assim, esse parágrafo contém pelo menos sete promessas projetadas por Jesus, para nos ajudar a combater o bom combate contra a incredulidade e sermos libertos da ansiedade.

Promessa # 1
Por isso, vos digo: não andeis ansiosos pela vossa vida, quanto ao que haveis de comer ou beber; nem pelo vosso

corpo, quanto ao que haveis de vestir. Não é a vida mais do que o alimento, e o corpo, mais do que as vestes? (Mt 6:25)

Essa é uma argumentação do maior para o menor. Se Deus faz o maior, então, fazer o menor é ainda mais garantido. Nesse versículo, o maior é que Deus nos deu a vida e os corpos. Esses são muito mais complexos e difíceis de manter do que a mera provisão de vestuário. No entanto, Deus tem feito isso. Portanto, muito mais facilmente Deus pode nos providenciar alimentos e roupas. Além disso, não importa o que aconteça, Deus ressuscitará o seu corpo algum dia e preservará a sua vida para a sua comunhão eterna.

Promessa # 2
Observai as aves do céu: não semeiam, não colhem, nem ajuntam em celeiros; contudo, vosso Pai celeste as sustenta. Porventura, não valeis vós muito mais do que as aves? (Mt 6:26)

Se Deus está disposto e é capaz de alimentar criaturas tão insignificantes como pássaros, que não podem fazer coisa alguma para trazer o alimento à existência – da forma como você pode ao cultivar – então, ele certamente fornecerá o que você precisa, porque você vale muito mais do que as aves.

Promessa # 3
Qual de vós, por ansioso que esteja, pode acrescentar um côvado ao curso da sua vida? E por que andais ansiosos quanto ao vestuário? (Mt 6:27-28)

Essa é uma espécie de promessa – a promessa simples de realidade: a ansiedade não lhe fará bem algum. Não é o principal argumento, mas, algumas vezes, temos apenas de ser duros com nós mesmos e dizer: "Alma, esta inquietação é absolutamente inútil. Você não está apenas bagunçando o seu próprio dia, mas o de um monte de outras pessoas também. Deixe isso com Deus e continue com o seu trabalho". A ansiedade não realiza nada de valor.

Promessa # 4
Considerai como crescem os lírios do campo: eles não trabalham, nem fiam. Eu, contudo, vos afirmo que nem Salomão, em toda a sua glória, se vestiu como qualquer deles. Ora, se Deus veste assim a erva do campo, que hoje existe e amanhã é lançada no forno, quanto mais a vós outros, homens de pequena fé? (Mt 6:28-30)

Comparado às flores do campo, você é uma prioridade muito maior para Deus, porque você viverá para sempre e pode, assim, trazer-lhe louvor eterno. No entanto, Deus tem tal transbordamento de energia criativa e cuidado que os derrama sobre as flores que duram apenas alguns dias. Assim, ele certamente tomará dessa mesma energia e habilidade criativa e as usará para cuidar de seus filhos que viverão para sempre.

Promessa # 5
Portanto, não vos inquieteis, dizendo: Que comeremos? Que beberemos? Ou: Com que nos vestiremos? Porque os gentios é que procuram todas estas coisas; pois vosso Pai celeste sabe que necessitais de todas elas (Mt 6:31-32)

Não pense que Deus é ignorante quanto às suas necessidades. Ele conhece todas elas. E ele é o seu "Pai celestial". Ele não olha com indiferença, à distância. Ele se importa. Ele agirá para suprir as suas necessidades, quando o tempo for o melhor.

> Promessa # 6
> Buscai, pois, em primeiro lugar, o seu reino e a sua justiça, e todas estas coisas vos serão acrescentadas. (Mt 6:33)

Se você entregar a si mesmo pela causa dele no mundo, ao invés de se preocupar com as suas necessidades materiais particulares, ele se certificará de que você tenha tudo o que precisa para fazer a sua vontade e dar-lhe glória. Isso é semelhante à promessa de Romanos 8:32: "Porventura, não nos dará [Deus] graciosamente com ele [Cristo] todas as coisas"?[5]

> Promessa # 7
> Portanto, não vos inquieteis com o dia de amanhã, pois o amanhã trará os seus cuidados; basta ao dia o seu próprio mal. (Mt 6:34)

Deus assegurará que você não seja testado, no dia dado, mais do que você pode suportar (1 Coríntios 10:13). Ele trabalhará para você, de modo que "a tua força seja como os teus dias" (Deuteronômio 33:25). Cada dia não trará mais problemas do que você pode suportar, e cada dia trará misericórdias suficientes para o estresse do dia de hoje (Lamentações 3:22-23).

"Meu Deus Há de Suprir Cada Uma de Vossas Necessidades"

Paulo aprendeu essas lições com Jesus e aplicou-as na luta contra a ansiedade, na igreja em Filipos. Em Filipenses 4:6, ele disse: "Não andeis ansiosos de coisa alguma; em tudo, porém, sejam conhecidas, diante de Deus, as vossas petições, pela oração e pela súplica, com ações de graças". E então, no versículo 19, ele dá a promessa libertadora de graça futura, exatamente como Jesus fez: "E o meu Deus, segundo a sua riqueza em glória, há de suprir, em Cristo Jesus, cada uma de vossas necessidades". Se vivermos pela fé nessa promessa de graça futura, será muito difícil a ansiedade sobreviver. A "riqueza em glória" de Deus é inesgotável. Ele realmente quer nos dizer para não nos preocuparmos com o nosso futuro.

Quando Estou Ansioso

Devemos seguir o modelo de Jesus e Paulo. Devemos combater a incredulidade da ansiedade com as promessas de graça futura. Quando estou ansioso sobre algum novo empreendimento arriscado ou reunião, eu luto contra a incredulidade com uma das minhas promessas mais frequentemente utilizada, Isaías 41:10. O dia em que saí para passar três anos na Alemanha, meu pai me ligou de longa distância e me deu essa promessa ao telefone. Ao longo dos três anos, eu devo ter citado isso para mim quinhentas vezes, para conseguir passar por períodos de tremendo estresse. "Não temas, porque eu sou contigo; não te assombres, porque eu sou o teu Deus; eu te fortaleço, e te ajudo, e te sustento com a minha destra fiel" (Isaías 41:10). Quando o motor da minha mente está em ponto morto, o sussurro das engrenagens é o som de Isaías 41:10.

Quando estou ansioso quanto ao meu ministério ser inútil e vazio, eu luto contra a incredulidade com a promessa de Isaías

55:11. "Assim será a palavra que sair da minha boca: não voltará para mim vazia, mas fará o que me apraz e prosperará naquilo para que a designei".

Quando estou ansioso quanto a ser muito fraco para fazer o meu trabalho, eu luto contra a incredulidade com a promessa de Cristo: "A minha graça te basta, porque o poder se aperfeiçoa na fraqueza" (2 Coríntios 12:9).

Quando estou ansioso quanto a decisões que tenho de tomar em relação ao futuro, eu luto contra a incredulidade com a promessa: "Instruir-te-ei e te ensinarei o caminho que deves seguir; e, sob as minhas vistas, te darei conselho" (Salmo 32: 8).

Quando estou ansioso quanto a encarar adversários, eu luto contra a incredulidade com a promessa: "Se Deus é por nós, quem será contra nós"? (Romanos 8:31).

Quando estou ansioso quanto ao bem-estar das pessoas que amo, eu luto contra a incredulidade com a promessa de que, se eu, sendo mau, sei como dar boas coisas aos meus filhos, quanto mais "vosso Pai, que está nos céus, dará boas coisas aos que lhe pedirem" (Mateus 7:11). E eu luto para manter meu equilíbrio espiritual com a lembrança de que não há ninguém que tenha deixado casa, ou irmãos, ou irmãs, ou mãe, ou pai, ou filhos, ou terras, por amor de Cristo, que "não receba, já no presente, o cêntuplo de casas, irmãos, irmãs, mães, filhos e campos, com perseguições; e, no mundo por vir, a vida eterna" (Marcos 10:29-30).

Quando estou ansioso quanto a estar doente, eu luto contra a incredulidade com a promessa: "Muitas são as aflições do justo, mas o SENHOR de todas o livra" (Salmo 34:19). E eu tomo a promessa com tremor: "a tribulação produz perseverança; a perseverança, experiência; e a experiência, esperança. Ora, a esperança não confunde, porque o amor de Deus é derramado em nosso coração pelo Espírito Santo, que nos foi outorgado" (Romanos 5:3-5).

Quando estou ansioso quanto a estar envelhecendo, eu luto contra a incredulidade com a promessa: "Até à vossa velhice, eu serei o mesmo e, ainda até às cãs, eu vos carregarei; já o tenho feito; levar-vos-ei, pois, carregar-vos-ei e vos salvarei" (Isaías 46:4).

Quando estou ansioso quanto a morrer, eu luto contra a incredulidade com a promessa de que "nenhum de nós vive para si mesmo, nem morre para si. Porque, se vivemos, para o Senhor vivemos; se morremos, para o Senhor morremos. Quer, pois, vivamos ou morramos, somos do Senhor. Foi precisamente para esse fim que Cristo morreu e ressurgiu: para ser Senhor tanto de mortos como de vivos" (Romanos 14:7-9).

Quando estou ansioso de que eu possa naufragar da minha fé e me afastar de Deus, eu luto contra a incredulidade com as promessas: "Estou plenamente certo de que aquele que começou boa obra em vós há de completá-la até ao Dia de Cristo Jesus" (Filipenses 1:6) e "também pode salvar totalmente os que por ele se chegam a Deus, vivendo sempre para interceder por eles" (Hebreus 7:25).

Esse é o modo de vida que eu ainda estou aprendendo, enquanto entro na minha sétima década. Eu escrevo este livro na esperança, e com a oração, de que você se unirá a mim. Façamos guerra, não contra outras pessoas, mas contra a nossa própria incredulidade. Ela é a raiz da ansiedade, a qual, por sua vez, é a raiz de tantos outros pecados. Por isso, liguemos os nossos limpadores de para-brisa e usemos o jato de água, e mantenhamos os olhos fixos nas promessas grandes e preciosas de Deus. Tome a Bíblia, peça ajuda ao Espírito Santo, coloque as promessas em seu coração e combata o bom combate – *viver pela fé na graça futura*.

Assim diz o SENHOR:
Não se glorie o sábio na sua sabedoria,
nem o forte, na sua força,
nem o rico, nas suas riquezas;
mas o que se gloriar, glorie-se nisto:
em me conhecer e saber que eu sou o SENHOR
e faço misericórdia, juízo e justiça na terra;
porque destas coisas me agrado,
diz o SENHOR.
Jeremias 9:23-24

O prazer do orgulho é como o prazer de se coçar.
Se há uma coceira, a pessoa quer coçar,
mas é muito mais agradável não ter nem a coceira e nem o coçar.
Enquanto tivermos a coceira do amor próprio,
desejaremos o prazer da autoaprovação;
mas os momentos mais felizes são aqueles
em que nos esquecemos do nosso precioso ser e não temos nenhum
dos dois, mas ao invés disso, temos todo o resto (Deus, nossos companheiros humanos, os animais, o jardim e o céu).
C.S. Lewis

Humilhai-vos, portanto, sob a poderosa mão de Deus,
para que ele, em tempo oportuno, vos exalte.
1 Pedro 5:6

Capítulo Dois
Lutando Contra o Orgulho

A Sombra de Deus

Humildade não é uma característica humana popular no mundo moderno. Ela não é apregoada em *talk shows* ou celebrada em discursos de despedida, nem elogiada em congressos ou listada como um dos valores centrais de corporações. E se você for até a imensa seção de autoajuda da livraria do shopping, você não encontrará muitos títulos celebrando a humildade.

A razão básica para isso não é difícil de descobrir: A humildade só pode sobreviver na presença de Deus. Quando Deus se retira, a humildade também se vai. Na verdade, pode-se dizer que a humildade segue Deus como uma sombra. Nós podemos esperar encontrar a humildade sendo aplaudida em nossa sociedade com a mesma frequência que encontramos Deus sendo aplaudido.

No meu jornal local, um editorial convidado capturou a atmosfera de nosso tempo que asfixia a humildade:

> Há alguns que, ingenuamente, se agarram à memória nostálgica de Deus. O frequentador de igreja mediano toma algumas horas da semana para experimentar o sagrado... Mas no resto do tempo, ele está imerso em uma sociedade que já não reconhece a Deus como uma força onisciente e onipotente a ser amada e adorada... Hoje estamos muito sofisticados para Deus. Podemos cuidar de nós mesmos; nós estamos preparados e prontos para escolher e definir a nossa própria existência.[6]

Nessa atmosfera, a humildade não pode sobreviver. Ela desaparece com Deus. Quando Deus é negligenciado, o deus que está na segunda posição toma o seu lugar, a saber, o homem. E isso, por definição, é o oposto da humildade, ou seja, o espírito altivo chamado orgulho. Assim, a atmosfera que respiramos é hostil à humildade.

Um Apetite por Deus no Coração

O ponto deste capítulo é que um espírito altivo é uma forma de incredulidade e a forma de lutar contra a incredulidade do orgulho é pela fé na graça futura. Confiar em Deus e ser arrogante são atitudes opostas: "O *orgulhoso de coração* levanta contendas, mas o que confia no SENHOR prosperará" (Provérbios 28:25, ACRF). É por isso que Stephen Charnock disse: "Uma fé orgulhosa é uma contradição, tanto quanto um diabo humilde".[7] Para entender por que a fé e o orgulho são opostos, precisamos lembrar a nós mesmos o que a fé é.

Eu argumentei mais plenamente em *Graça Futura*, que o cerne da fé bíblica em Jesus é chegar a ele pela satisfação de tudo o que Deus é para nós, nele.[8] Jesus disse, em João 6:35: "Eu sou o pão da vida; o que *vem* a mim jamais terá fome; e o que *crê* em mim jamais terá sede". A partir disso, podemos extrair a verdade de que *crença* em Jesus significa vir a Jesus pela satisfação de tudo o que Deus é para nós nele. E *descrença* é um afastamento de Jesus, a fim de buscar satisfação em outras coisas.

Crença não é meramente *concordar* com os fatos dentro da cabeça; é também um *apetite* por Deus no coração, o qual se liga a Jesus por satisfação. "O que vem a mim jamais terá fome; e o que crê em mim jamais terá sede". Portanto, a vida eterna não é dada a pessoas que apenas *pensam* que Jesus é o Filho de Deus. Ela é dada a pessoas que *bebem* de Jesus como o Filho de Deus. "A água que eu lhe der será nele uma fonte a jorrar para a vida eterna" (João 4:14). Ele também é o pão da vida, e aqueles que se *alimentam* dele, para a nutrição e satisfação, vivem por ele. "Eu sou o pão vivo que desceu do céu; se alguém dele *comer*, viverá eternamente" (João 6:51). O objetivo das ilustrações de *beber* e *comer* é tornar clara a essência da fé. Ela é mais do que apenas acreditar que existem tais coisas como água e comida; e é mais do que apenas crer que Jesus é a água e a comida que dão vida. Fé é vir a Jesus e *beber* a água e *comer* a comida, de forma que encontremos nossos corações satisfeitos nele.

Afastando-se da Satisfação em Deus para a Satisfação em Si Mesmo

Com esse pano de fundo, veremos mais claramente que o orgulho é uma espécie de incredulidade. *Incredulidade* é um afastamento de Deus e de seu Filho, a fim de buscar satisfação em outras coisas. *Orgulho* é um afastamento de Deus, especificamente para obter satisfação em *si* mesmo. Assim, o orgulho é uma forma específica de incredulidade. E o seu antídoto é o despertar e o fortalecimento da fé na graça futura.

No capítulo 5, veremos que a *cobiça* é um afastamento de Deus, geralmente para encontrar satisfação nas coisas. No capítulo 8, veremos que a *lascívia* é um afastamento de Deus para encontrar satisfação no sexo. Veremos que a *amargura* é um afastamento de Deus para encontrar satisfação na vingança (capítulo 6). A *impaciência* é um afastamento de Deus para encontrar satisfação no seu próprio plano de ação ininterrupto (capítulo 4). A *ansiedade*, a *vergonha inapropriada* e o *abatimento* são várias condições do coração quando esses esforços da incredulidade falham (capítulos 1, 3 e 7).

Porém, mais profunda do que todas essas formas de incredulidade é a incredulidade do orgulho, pois a autodeterminação e a autoexaltação estão por trás de todas essas outras disposições pecaminosas. Cada afastamento de Deus – por qualquer motivo – pressupõe um tipo de autonomia ou independência, que é a essência do orgulho. O afastamento de Deus pressupõe que a pessoa sabe mais que Deus. Assim, o orgulho está na raiz de cada afastamento de Deus. É a raiz de todo ato de desconfiança em relação a Deus. Ou, mais precisamente, o orgulho não é tanto a *raiz*, pois é a *essência* da incredulidade, e o seu remédio é a fé na graça futura. Assim, a luta contra o orgulho é a luta contra a incredulidade; e a luta pela humildade é a luta da fé na graça futura.

As referências bíblicas ao orgulho podem ser classificadas como diferentes formas de não confiança em Deus. Cada texto acerca do orgulho revela por qual motivo nos recusamos a confiar em Deus. Ou, mais especificamente, cada um mostra o que preferimos encontrar em nós mesmos.

Os Grandes Concorrentes de Deus

Em Jeremias 9:23, Deus diz: "Não se glorie o sábio na sua *sabedoria*, nem o forte, na sua *força*, nem o rico, nas suas *riquezas*". Nessas três frases, Deus nomeia os seus grandes concorrentes pela vanglória do coração humano. Cada uma delas – sabedoria, força e riquezas – tenta nos seduzir a obter satisfação em nós mesmos – nossa inteligência, nossa força, nossos recursos materiais. Cada um nos afasta de confiar em Deus como a satisfação superior acima de todos eles. É radicalmente humilhante confessar que a fonte de toda a nossa alegria reside fora de nós mesmos.

Quando o Conhecimento Ensoberbece

Tome a sabedoria e a inteligência como exemplo. O apóstolo Paulo adverte que "o saber ensoberbece, mas o amor edifica" (1 Coríntios 8:1). Isso não significa que ele favorece a ignorância e a irracionalidade: "Não sejais meninos no *juízo*; na malícia, sim, sede crianças; quanto ao *juízo*, sede homens amadurecidos" (1 Coríntios 14:20). G.K. Chesterton, o autor jornalista britânico católico que morreu em 1936, advertiu que, no século vinte, não é clara a relação entre a convicção intelectual e o orgulho.

> O que nós sofremos... é de humildade no lugar errado. A modéstia saiu do órgão da ambição. A modéstia se instalou no órgão da convicção; onde nunca foi destinada a estar. Um homem deveria ser duvidoso quanto a si mesmo, mas indubitável quanto à verdade; isso foi completamente invertido. Hoje em dia, a parte de um homem que este realmente afirma é exatamente a parte que ele não deve afirmar – ele mesmo. A parte que ele duvida é exatamente a que ele não deve duvidar – a Razão Divina.[9]

Paulo não está avaliando a necessidade de uma convicção firme e verdadeiro conhecimento. No entanto, ele está ciente de que o que sabemos – ou pensamos que sabemos – pode nos afastar de descansar na sabedoria de Deus e nos levar a nos vangloriarmos em nós mesmos.

O órgão do conhecimento nos foi dado para que possamos conhecer a Deus, e como o mundo se relaciona com Deus. Uma das primeiras coisas que aprendemos, quando o conhecemos como deveríamos, é a Palavra de Jesus: "Não foi carne e sangue que to revelaram, mas meu Pai, que está nos céus" (Mateus 16:17). Todo conhecimento verdadeiro depende de Deus. "Quem, pois, conheceu a mente do Senhor? ... Porque dele, e por meio dele, e para ele são todas as coisas" (Romanos 11:34, 36). Deus nos deu mentes não apenas para conhecer, mas para saber como devemos conhecer. Nós sabemos o caminho que devemos conhecer, quando nos gloriamos na Fonte de todo o conhecimento, e não no nosso pequeno frágil chip com o seu minúsculo circuito projetado por Deus. Deus não escolheu muitos sábios, diz o apóstolo. E a razão que ele dá é "a fim de que ninguém se vanglorie na presença de Deus". Mas: "Aquele que se gloria, glorie-se no Senhor" (1 Coríntios 1:29, 31).

Quando nos gloriamos em nossa sabedoria, mostramos que nos afastamos de Deus, para confiar em nós mesmos. Revelamos que a nossa satisfação não é, primeiramente, na sabedoria infinita e primária de Deus, mas em nossas capacidades derivativas e secundárias. É uma falha da fé na graça futura – a promessa de Deus de usar a sua infinita sabedoria para continuar a gerir o universo, para o bem de todos os que esperam nele.

Aumentando a Ilusão da Nossa Capacidade

Da mesma forma, estamos propensos a nos gloriarmos em nossa força. Quando Deus graciosamente nos abençoa, nós nos apressamos em tomar crédito pelo presente – como se houvesse mais satisfação em aumentar a ilusão da nossa capacidade do que em nos beneficiarmos da graça de Deus. Nós fomos devidamente advertidos em Deuteronômio 8:11-17,

> Guarda-te... para não suceder que, depois de teres comido e estiveres farto, depois de haveres edificado boas casas e morado nelas; depois de se multiplicarem os teus gados e os teus rebanhos, e se aumentar a tua prata e o teu ouro, e ser abundante tudo quanto tens, *se eleve o teu coração*, e te esqueças do SENHOR, teu Deus, que te tirou da terra do Egito, da casa da servidão... que no deserto te sustentou com maná, que teus pais não conheciam; *para te humilhar*, e para te provar, e, afinal, te fazer bem. Não digas, pois, no teu coração: *A minha força e o poder do meu braço me adquiriram estas riquezas*".

Se as pessoas construíssem as suas casas e vigiassem os seus rebanhos e reunissem o seu ouro *pela fé na graça futura*, não entraria em suas mentes dizer: "A minha força e o poder do meu braço me adquiriram estas riquezas". Quando você vive pela fé na graça futura, você sabe que todas as coisas produzidas do seu viver são produtos da graça.

Deus não Partilhará a Sua Glória com os Soberbos

O rei da Assíria ilustra o orgulho que nasce no coração, quando a sabedoria *e* o poder conspiram para afastar o coração de Deus e levar para si. Deus transformou o rei na vara de sua ira justa contra o povo de Israel (Isaías 10:5). No entanto, o rei não teve prazer no poder capacitador e orientação de Deus, e tomou o crédito para si e disse: "Com o poder da minha mão, fiz isto, e com a minha sabedoria, porque *sou inteligente*; removi os limites dos povos, e roubei os seus tesouros, e como valente abati os que se assentavam em tronos" (Isaías 10:13). Isso não é inteligente. Deus não partilhará a sua glória com os soberbos. Na verdade, ele promete que "castigará a arrogância do coração do rei da Assíria e a desmedida altivez dos seus olhos" (Isaías 10:12). O antídoto para a arrogância do rei é crer nessa ameaça e encontrar a sua alegria no poder e sabedoria de Deus, não na sua própria.

Quando o Soberbo Come Grama Como um Boi

Não muito mais tarde na história de Israel, o rei da Babilônia, Nabucodonosor, foi derrubado por seu orgulho arrogante: "Não é esta a grande Babilônia que eu edifiquei para a casa real, com o meu grandioso poder e para glória da minha majestade"? (Daniel 4:30). Por causa dessa arrogância, Deus o humilhou e o fez comer grama como um boi no campo aberto (Daniel 4:33), até que ele aprendesse a exultar o poder soberano de Deus muito acima do seu próprio:

> Todos os moradores da terra são por ele reputados em nada; e, segundo a sua vontade, ele opera com o exército do céu e os moradores da terra; não há quem lhe possa deter a mão, nem lhe dizer: Que fazes? ... Agora, pois, eu, Nabucodonosor, louvo, exalço e glorifico ao Rei do céu, porque todas as suas obras são verdadeiras, e os seus

caminhos, justos, e pode humilhar aos que andam na soberba (Daniel 4:35, 37)

O antídoto para o orgulho de Nabucodonosor não era meramente um novo conhecimento na cabeça, mas uma exultação nova no coração. O seu louvor e exultação revelam o despertar da fé e a alegria de que Deus determinou o futuro com a graça onipotente, para estabelecer o seu plano e humilhar os soberbos. Ele estava satisfeito com a prerrogativa de Deus de fazer como lhe agradar, na liberdade soberana de sua justiça e graça.

Por que se Gloriar, Como Se Não Fosse um Presente?

Juntamente com sabedoria e força, talvez o maior tentador do orgulho seja o dinheiro. Com ele podemos comprar os recursos de inteligência e poder que não temos em nós mesmos. Assim, a riqueza é o grande símbolo da autossuficiência. Se temos habilidade no mercado de ações ou sorte na loteria, qualquer falta de outras habilidades ou poder é compensada, pois agora podemos controlar os recursos para satisfazer os nossos desejos – assim pensamos. E o resultado é descrito por Deus em Oséias 13:6, "Quando eu os alimentava, ficavam satisfeitos; quando ficavam satisfeitos, se orgulhavam, e então me esqueciam". O orgulho é uma questão de onde a sua *satisfação* está. "Quando eu os alimentava, ficavam *satisfeitos*". O que é outra maneira de dizer, o orgulho é uma questão de em que você está confiando para o seu futuro. Portanto, Deus usa a linguagem de confiança para acusar o orgulho de Israel, em Jeremias 49:4: "Por que te glorias nos vales, nos teus luxuriantes vales, ó filha rebelde, que *confias nos teus tesouros*, dizendo: Quem virá contra mim"?

Israel confiava nos tesouros para tornar o seu futuro seguro contra exércitos invasores. A sua fé não estava na graça futura de Deus. E esse é o problema. Ele foi atraído para uma ilusão de falsos prazeres: tesouros, os quais são em si mesmos presentes da graça de Deus. Portanto, eles terão a mão traspassada se confiarem neles, em lugar de Deus. O apóstolo Paulo perguntaria a esse povo, como fez aos Coríntios: "Que tens tu que não tenhas recebido? E, se o recebeste, por que te vanglorias, como se o não tiveras recebido?" (1 Coríntios 4:7). Tudo o que temos, nós recebemos de Deus. Está nas mãos dele deixar ou tomar, tornar em bem ou em mal.

É por isso que a Bíblia nunca se cansa de nos dizer: "Não há rei que se salve com o poder dos seus exércitos; nem por sua muita força se livra o valente. O cavalo não garante vitória; a despeito de sua grande força, a ninguém pode livrar" (Salmo 33:16-17). Você pode comprar exércitos, guerreiros e cavalos com a sua riqueza, mas, a menos que o Senhor decida lhe dar libertação e vitória, eles serão inúteis no dia da batalha. A graça futura, não a força militar, é a última esperança dos reis e guerreiros – e de todos os outros. É por isso que os versículos seguintes, no Salmo 33, apontam para um tesouro alternativo para a nossa confiança: "Eis que os olhos do SENHOR estão sobre os que o temem, sobre os que esperam na sua misericórdia ... Nossa alma espera no SENHOR, nosso auxílio e escudo. Nele, o nosso coração se alegra, pois confiamos no seu santo nome" (Salmo 33:18, 20-21). Essa confiança, que parece distante de nossos próprios recursos e descansa em Deus, é o que eu quero dizer com fé na graça futura. Esse é o remédio para o orgulho.

O Orgulho Final: Ateísmo

Quando você toma as três categorias de tentação à autossuficiência – sabedoria, poder e riquezas – elas formam um incentivo poderoso para a última forma de orgulho, a saber, o ateísmo. A maneira mais segura de se manter supremo em nossa própria estima é negar qualquer coisa acima de nós. Por isso, os orgulhosos se preocupam em olhar para os outros. "Um homem orgulhoso está sempre olhando para as coisas e pessoas: e, claro, enquanto você estiver olhando para baixo, você não pode ver algo que está acima de você".[10] Mas, para preservar o orgulho pode ser mais simples proclamar que não existe nada acima para se olhar. "O perverso, na sua *soberba*, não investiga; que não há Deus são todas as suas cogitações" (Salmo 10:4). Em última análise, os soberbos devem convencer a si mesmos de que não há Deus.

Uma razão para isso é que a realidade de Deus é extremamente intrusiva, em todos os detalhes da vida. O orgulho não pode tolerar o envolvimento íntimo de Deus na execução, até mesmo, de afazeres comuns da vida. Por exemplo, Tiago, o irmão de Jesus, diagnostica o orgulho por trás da presunção simples de planejar ir de uma cidade para a outra:

> Atendei, agora, vós que dizeis: Hoje ou amanhã, iremos para a cidade tal, e lá passaremos um ano, e negociaremos, e teremos lucros. Vós não sabeis o que sucederá amanhã. Que é a vossa vida? Sois, apenas, como neblina que aparece por instante e logo se dissipa. Em vez disso, devíeis dizer: Se o Senhor quiser, não só viveremos, como também faremos isto ou aquilo. Agora, entretanto, vos jactais das vossas arrogantes pretensões. Toda jactância semelhante

a essa é maligna. Portanto, aquele que sabe que deve fazer o bem e não o faz nisso está pecando. (Tiago 4:13-17)

O orgulho não gosta da soberania de Deus. Portanto, o orgulho não gosta da existência de Deus, porque Deus é soberano. Pode-se expressar isso, dizendo: "Não há Deus". Ou pode-se expressá-lo, dizendo: "Eu estou indo para Atlanta, para o Natal". Tiago diz: "Não tenha tanta certeza". Em vez disso, diga: "Se o Senhor quiser, viveremos e chegaremos a Atlanta, para o Natal". O ponto de Tiago é que Deus governa se nós chegaremos a Atlanta, e se você viverá até o fim desta página. "Se o Senhor quiser, viveremos...." Isso é extremamente ofensivo à autossuficiência do orgulho – nem mesmo ter controle sobre se você chega ao final da página, sem ter um derrame!

Tiago diz que não acreditar nos direitos soberanos de Deus, de gerenciar os detalhes do seu futuro, é arrogância. A maneira de lutar contra essa arrogância é render-se à soberania de Deus em todos os detalhes da vida, e descansar em suas infalíveis promessas de mostrar-se forte em nosso favor (2 Crônicas 16:9), de nos seguir com bondade e misericórdia a cada dia (Salmo 23:6), de trabalhar para os que esperam por ele (Isaías 64:4), e de nos prover com tudo o que precisamos para viver para a sua glória (Hebreus 13:21). Em outras palavras, o remédio para o orgulho é a fé inabalável na graça futura.

A Coceira do Amor Próprio e o Coçar da Aprovação

Uma das manifestações do orgulho, que mostra a sua aversão à fé na graça futura, é ânsia que ele produz pela aprovação humana. C. S. Lewis explica como funciona essa ânsia:

O prazer do orgulho é como o prazer de se coçar. Se há uma coceira, a pessoa quer coçar, mas é muito mais agradável não ter nem a coceira e nem o coçar. Enquanto tivermos a coceira do amor próprio, desejaremos o prazer da autoaprovação; mas os momentos mais felizes são aqueles em que nos esquecemos do nosso precioso ser e não temos nenhum dos dois, mas ao invés disso, temos todo o resto (Deus, nossos companheiros humanos, os animais, o jardim e o céu)....[11]

A coceira do amor próprio almeja o coçar da autoaprovação. Ou seja, se estamos recebendo o nosso prazer por nos sentirmos autossuficientes, nós não estaremos satisfeitos sem que os outros vejam e aplaudam a nossa autossuficiência. Daí a descrição de Jesus dos escribas e fariseus: "Praticam, porém, todas as suas obras com o fim de serem vistos dos homens.... Amam o primeiro lugar nos banquetes e as primeiras cadeiras nas sinagogas, as saudações nas praças e o serem chamados mestres pelos homens (Mateus 23:5-7).

O Vazio da Autossuficiência

Isso é irônico. A autossuficiência deveria libertar o orgulhoso da necessidade de ter a atenção dos outros. Isso é o que significa "suficiente". Mas, evidentemente, há um vazio nesta, assim chamada, autossuficiência. O eu nunca foi projetado para satisfazer a si mesmo ou confiar em si. Ele nunca pode ser suficiente. Somos imagens de Deus, não a coisa genuína. Somos sombras e ecos. Assim, sempre haverá um vazio na alma que se esforça para estar satisfeita com os recursos do eu.

Esse vazio, que anseia pelo louvor de outros, sinaliza o fracasso do orgulho e a falta de fé na graça futura. Jesus viu o terrível efeito dessa coceira pela glória humana. Ele a nomeou em João 5:44: "Como podeis *crer*, vós os que aceitais glória uns dos outros e, contudo, não procurais a glória que vem do Deus único"? A resposta é, Você não pode. Ter coceira pela glória a partir de outras pessoas torna a fé impossível. Por quê? Porque fé é estar satisfeito com tudo o que Deus é para você, em Jesus; e, se você está empenhado em obter a satisfação da sua coceira a partir do coçar de elogios dos outros, você se afastará de Jesus. Porém, se você se afastasse do eu como a fonte de satisfação (= arrependimento) e viesse para Jesus pelo prazer de tudo o que Deus é para nós nele (= fé), então a coceira seria substituída por uma fonte a jorrar para a vida eterna (João 4:14).

A Ironia do Orgulho Fraco

A ironia dessa coceira insaciável na alma autossuficiente se torna ainda mais evidente quando o orgulho não consegue obter o que quer e começa a debater-se na fraqueza. Isso requer discernimento. O orgulho fraco não é facilmente reconhecido. Ele soa como um oximoro – como uma quadra redonda. Mas não é. Considere a relação entre vanglória e autopiedade.

> Ambas são manifestações de orgulho. A vanglória é a resposta do orgulho ao sucesso. A autopiedade é a resposta do orgulho ao sofrimento. A vanglória diz, "Eu mereço admiração porque alcancei muitas coisas". A autopiedade diz, "Eu mereço admiração porque sacrifiquei muito". A vanglória é a voz do orgulho no coração do forte. A au-

topiedade é a voz do orgulho no coração dos fracos. A vanglória soa autossuficiente. A autopiedade soa abnegadora.

A razão pela qual a autopiedade não parece ser orgulho é que ela parece ser necessitada.

Mas a necessidade surge de um ego ferido, e o desejo de mostrar-se autopiedoso não é realmente para que outros os vejam como indefesos, mas como heróis. A necessidade de autopiedade não vem de um senso de indignidade, mas a partir de um senso de dignidade não reconhecida. É a reação do orgulho não aplaudido.[12]

Quando o orgulho não é forte, ele começa a se preocupar com o futuro. No coração do orgulho, a ansiedade é para o futuro o que a autopiedade é para o passado. O que não correu bem no passado nos dá uma sensação de que nós merecemos mais. Mas, se nós não conseguimos fazer as coisas acontecerem do nosso jeito no passado, nós talvez não sejamos capazes de fazê-las no futuro também. Em vez de tornar os orgulhosos humildes, essa possibilidade os torna ansiosos.

O Orgulho Camuflado da Ansiedade

Aqui está outra ironia. A ansiedade não parece ser orgulho. Ela aparenta fraqueza. Parece que você admite que não controla o futuro. Sim, em certo sentido, o orgulho admite isso. Mas a admissão não mata o orgulho, até que o coração orgulhoso esteja disposto a olhar para aquele que, de fato, controla o futuro e descansar nele. Até lá, os soberbos se prendem ao seu direito de autossuficiência, mesmo quando este se desintegra no horizonte do futuro.

A evidência bíblica notável para isso é encontrada em dois lugares. O primeiro é Isaías 51:12-13, onde Deus acusa o ansioso povo de Israel, mostrando-lhes o orgulho sob o medo: "Eu, eu sou aquele que vos consola; *quem, pois, és tu, para que temas o homem, que é mortal*, ou o filho do homem, que não passa de erva? Quem és tu, que te esqueces do SENHOR, que te criou, que estendeu os céus e fundou a terra, e temes continuamente todo o dia o furor do tirano, que se prepara para destruir"? Em outras palavras, "Quem você pensa que é para ter medo de meros homens? Você deve realmente achar que é alguém, para ter medo assim"! Agora, essa é uma repreensão estranha. Mas o significado é simples: O seu medo de homem é uma forma de orgulho.

Por que a ansiedade acerca do futuro é uma forma de orgulho? Deus dá a resposta: "Eu – o Senhor, seu Criador – eu sou aquele que consola você, que promete cuidar de você; e aqueles que ameaçam você são meros homens mortais. Portanto, o seu medo deve significar que você não confia em mim. Você deve pensar que a sua proteção depende de você. E apesar de você não ter certeza de que os seus próprios recursos cuidarão de você, você opta pela frágil autoconfiança, em vez da fé na graça futura. Então, todo o seu tremor – mesmo fraco como é – revela orgulho". O remédio? Passe da autoconfiança para a confiança em Deus e coloque a sua fé no poder suficiente da graça futura.

O segundo lugar onde vemos a ansiedade como uma forma de orgulho é em 1 Pedro 5:6-7. "Humilhai-vos, portanto, sob a poderosa mão de Deus, para que ele, em tempo oportuno, vos exalte, (7) lançando sobre ele toda a vossa ansiedade, porque ele tem cuidado de vós". Observe a conexão gramatical entre os versículos 6 e 7. "Humilhai-vos...sob a poderosa mão de Deus...

lançando sobre ele toda a vossa ansiedade". O versículo 7 não é uma nova sentença. É uma oração subordinada. "Humilhai-vos... lançando sobre ele toda a vossa ansiedade". Isso significa que lançar as suas ansiedades em Deus é uma forma de humilhar-se sob a poderosa mão de Deus. É como dizer: "Coma educadamente... *mastigando* com a boca fechada". "Dirija com cuidado... *mantendo* os olhos abertos". "Seja generoso... *convidando* alguém para o jantar de Ação de Graças".

Da mesma forma, "Humilhai-vos... *lançando* suas ansiedades em Deus". Uma maneira de ser humilde é lançar as suas ansiedades em Deus. O que significa que um *obstáculo* para lançar as suas ansiedades em Deus é o orgulho. O que significa que a preocupação excessiva é uma forma de orgulho. Agora, por que lançar as nossas ansiedades sobre o Senhor é o oposto do orgulho? Porque o orgulho não gosta de admitir que tenha qualquer ansiedade. E, se o orgulho tiver que admitir isso, ele ainda não gostará de admitir que o remédio possa ser confiar em alguém que é mais sábio e mais forte. Em outras palavras, o orgulho é uma forma de incredulidade e não gosta de confiar na graça futura. A fé admite a necessidade de ajuda. O orgulho não. A fé depende de Deus para dar ajuda. O orgulho não. A fé lança as ansiedades em Deus. O orgulho não. Portanto, a forma de combater a incredulidade do orgulho é admitir livremente que você tem ansiedades, e prender-se à promessa de graça futura nas palavras: "Ele tem cuidado de vós".

Terminamos este capítulo com um vislumbre final do conselho de Deus, através de Jeremias. No início do capítulo, nós o ouvimos dizer: "Não se glorie o sábio na sua sabedoria, nem o forte, na sua força, nem o rico, nas suas riquezas". Nós finalizamos. ouvindo-o concluir essa frase: "Mas o que se gloriar, glorie-se nisto: em me conhecer e saber que eu sou o SENHOR e faço misericórdia, juízo e justiça na terra; porque destas coisas me agrado, diz o SENHOR (Jeremias 9:23-24). No fim das contas, essa é a resposta bíblica mais básica para a pergunta sobre a melhor maneira de lutar contra o orgulho. Fique estupefato e satisfeito por conhecermos a Deus – e por ele nos conhecer.

Eu fiz a seguinte anotação no meu diário, em 6 de dezembro de 1988. É a minha própria confissão de necessidade e a minha resposta à exortação de Jeremias.

> Não seria a forma mais eficaz de refrear o meu prazer em dar importância a mim mesmo, concentrar-me em dar o máximo de importância a Deus? A autonegação e a crucificação da carne são essenciais, mas ó, como é fácil dar importância a mim mesmo, até mesmo pela minha autonegação! Como posso por fim a essa necessidade insidiosa de prazer em ser feito importante, se não levando todas as minhas faculdades a deliciarem-se com o prazer de dar importância a Deus!
>
> O hedonismo cristão[13] é a solução final. É mais profundo do que a morte para o eu. Você precisa ir mais fundo no túmulo da carne para encontrar a verdadeira corrente de água milagrosa, libertadora, que arrebata você com o gosto da glória de Deus. Somente nessa admiração silenciosa e totalmente satisfatória está o fim do eu.

Essa "admiração totalmente satisfatória" de tudo o que Deus é para nós, em Jesus, é o que eu quero dizer com fé na graça futura.

*Não me envergonho,
porque sei em quem tenho crido
e estou certo de que ele é poderoso para guardar
o meu depósito até aquele Dia.*
2 Timóteo 1:12

Todo o que nele confia jamais será envergonhado.
Romanos 10:11, NVI

Capítulo Três
LUTANDO CONTRA A VERGONHA INAPROPRIADA

Embora a vergonha tenha estado em alta como um diagnóstico predominante para a disfunção emocional, as suas raízes estão aprofundadas na condição humana, e a dor que ela pode trazer é real. Se quisermos viver o tipo de vida livre e radicalmente amorosa e santa para a qual Cristo nos chama, precisamos entender o lugar da vergonha e como lutar contra os seus efeitos incapacitantes.

Começamos com uma definição: Vergonha é uma emoção dolorosa, causada por uma consciência de culpa ou imperfeição, ou inconveniência.[14] A dor não é causada apenas pelas nossas próprias falhas, mas pela consciência de que outros as veem. Deixe-me ilustrar cada uma dessas causas.

Três Causas da Vergonha

Primeiro, considere a *culpa* como uma causa. Suponha que você aja contra a sua consciência e retenha informações sobre as suas declarações fiscais. Por alguns anos, você não sente nada, porque você parou de pensar nisso e não foi pego. Então, você é chamado a prestar contas pela Receita Federal, e torna-se de conhecimento público que você mentiu e roubou. A sua culpa é conhecida pela sua igreja, seu empregador e amigos. Agora, à luz da censura pública, você sente a dor da vergonha.

Ou tome a *imperfeição* como uma causa. Nas Olimpíadas, suponha que você venha de um país em que você seja muito bom na corrida de 3000 metros, em comparação aos seus compatriotas. Então, você compete diante de milhares de pessoas nas Olimpíadas, e a competição é tão dura que, no momento em que a última volta inicia, você ainda está uma volta completa atrás de todo mundo, e você tem que continuar correndo sozinho, enquanto todos assistem. Não há culpa aqui. Você não fez nada de errado. Mas, dependendo do seu estado de espírito, a humilhação e a vergonha podem ser intensas.

Ou considere a *inconveniência* como uma causa da vergonha. Você está convidado para uma festa e, ao chegar lá, descobre que se vestiu de forma inadequada. Novamente, não há nenhum mal ou culpa. Apenas uma mancada social, uma inconveniência que fez você se sentir tolo e envergonhado. Isso também é uma espécie de vergonha.

Uma das coisas que salta diante dos olhos, a partir dessa definição de vergonha, é que existem alguns tipos de vergonha que são justificados, e outros que não são. Existem algumas situações em que a vergonha é exatamente o que deveríamos sentir. E há outras em que não deveríamos. Muitos diriam que o mentiroso deve se sentir envergonhado. E a maioria das pessoas, provavelmente, diria que o corredor de longa distância, que deu o melhor de si, *não* deveria sentir vergonha. O desapontamento seria saudável, mas não a vergonha.

Dois Tipos de Vergonha

Deixe-me ilustrar, a partir das Escrituras, esses dois tipos de vergonha. A Bíblia deixa muito claro que há uma vergonha que devemos ter e outra que não devemos. Eu chamarei o primeiro tipo de "vergonha inapropriada" e o outro, de "vergonha apropriada". Como tudo o que é importante, a questão crucial é a forma como Deus se encaixa na experiência da vergonha.

A Vergonha Inapropriada

A *vergonha inapropriada* (o tipo que *não* devemos ter) é a vergonha que se sente quando não há nenhuma boa razão para senti-la. Biblicamente, significa que aquilo do que se sente vergonha não desonra a Deus; ou, então, é desonroso a Deus, mas você não teve participação. Em outras palavras, a vergonha inapropriada é uma vergonha por algo que é bom – algo que não desonra a Deus. Ou é vergonha por algo que é mau, mas no qual você não teve qualquer envolvimento pecaminoso. Esse é o tipo de vergonha que não devemos ter.

A Vergonha Apropriada

A *vergonha apropriada* (o tipo que *devemos* ter) é a vergonha que sentimos quando há uma boa razão para senti-la. Biblicamente, significa que nos sentimos envergonhados de alguma coisa, porque o nosso envolvimento nela foi desonroso para Deus. Devemos sentir vergonha quando trazemos desonra a Deus por nossas atitudes ou ações.

Eu quero ter certeza de que você veja o quão importante Deus é nessa distinção entre a vergonha inapropriada e a vergonha apropriada. Se temos um envolvimento honroso ou desonroso a Deus, faz toda a diferença. Se quisermos lutar contra a vergonha pela raiz, temos que saber como ela se relaciona com Deus. E nós realmente precisamos lutar contra a vergonha pela raiz – todo tipo de vergonha. Porque tanto a vergonha inapropriada quanto a apropriada pode nos incapacitar, se não soubermos lidar com elas pela raiz.

Ajudará em nossa luta, se olharmos para algumas passagens na Escritura, que ilustrem a vergonha inapropriada e algumas que ilustrem a vergonha apropriada. Precisamos ver que estas são, na verdade, categorias bíblicas. Nesses dias, em que a psicologia tem uma enorme influência sobre a maneira como usamos as palavras, precisamos ter certeza de que podemos associar toda a linguagem acerca de nossas emoções às formas bíblicas de pensar e falar. Se você tiver aprendido o uso da palavra "vergonha" com a psicologia contemporânea, esteja ciente de que eu não estou a usá-la da mesma forma (ver nota 14). Você pode achar que a Bíblia usa o conceito de vergonha de forma diferente da que é usada popularmente. Após observar claramente os termos bíblicos, você estará em posição de avaliar a forma como as pessoas contemporâneas falam sobre a vergonha.

Exemplos Bíblicos da Vergonha Inapropriada

Paulo diz a Timóteo que se ele sente vergonha de testemunhar o Evangelho, ele sente vergonha inapropriada. "Não te envergonhes, portanto, do testemunho de nosso Senhor, nem do seu encarcerado, que sou eu; pelo contrário, participa comigo dos sofrimentos, a favor do evangelho, segundo o poder de Deus" (2 Timóteo 1:8). Não devemos sentir vergonha pelo evangelho. Cristo é honrado quando falamos bem dele. E ele é desonrado pelo silêncio medroso. Portanto, testemunhar não é algo vergonhoso, mas não fazê-lo é.

O mesmo versículo diz que se sentirmos vergonha por um amigo nosso estar na prisão por causa de Jesus, então a nossa vergonha é inapropriada. O mundo pode ver o encarceramento por Cristo como um sinal de fraqueza e derrota. Mas os cristãos sabem mais. Deus é honrado pela coragem de seus servos de ir para a prisão pelo seu nome, se eles tiverem agido de maneira justa e amorosa. Não devemos sentir vergonha por estarmos associados com algo que honra a Deus dessa forma, não importa quanto desprezo o mundo lance sobre nós.

Em uma fala bem conhecida de Jesus, aprendemos que a nossa vergonha é inapropriada quando sentimos vergonha por causa de quem Jesus é ou do que ele diz. "Qualquer que, nesta geração adúltera e pecadora, se envergonhar de mim e das minhas palavras, também o Filho do Homem se envergonhará dele, quando vier na glória de seu Pai com os santos anjos" (Marcos 8:38). Por exemplo, se Jesus diz: "Amai os vossos inimigos", e os outros riem e chamam isso de irrealista, não devemos sentir vergonha. Se Jesus diz: "Não fornique", e as pessoas promíscuas rotulam isso como um mandamento desatualizado, não devemos sentir vergonha de ficar ao lado de Jesus. Isso seria vergonha inapropriada, porque as palavras de Jesus são verdadeiras e honram a Deus, não importa o quanto o mundo tente fazê-las parecer tolas.

Sofrer, ser repreendido e zombado por ser um cristão não é uma ocasião para a vergonha, porque é uma ocasião para glorificar a Deus. "Se sofrer como cristão, não se envergonhe disso; antes, glorifique a Deus com esse nome" (1 Pedro 4:16). Em outras palavras, na Bíblia, o critério para o que é vergonha apropriada e o que é a vergonha inapropriada não é o quão tolo ou ruim você pareça aos homens, mas se você de fato traz honra a Deus.

De quem é a Honra que Está em Jogo na Nossa Vergonha?

É extremamente importante entender isso, porque muito do que nos faz sentir vergonha não é o fato de termos trazido desonra a Deus por nossas ações, mas de não termos conseguido dar a aparência que as outras pessoas admiram. Grande parte da nossa vergonha não é centrada em Deus, mas autocentrada. Até entendermos isso, não seremos capazes de lutar contra o problema da vergonha, em sua raiz.

Muita vergonha cristã vem do que o homem pensa, e não do que Deus pensa. Mas, se compreendêssemos profundamente que a estima de Deus é infinitamente mais importante do que de qualquer outra pessoa, não teríamos vergonha de coisas tão maravilhosas que são até mesmo chamadas de o próprio poder de Deus: "Não me envergonho do evangelho, porque é o poder de Deus para a salvação de todo aquele que crê" (Romanos 1:16). Esse versículo nos diz outra razão pela qual a vergonha do evangelho é uma vergonha inapropriada. O evangelho é o próprio poder de Deus para a salvação. O evangelho magnifica Deus e humilha o homem. Para o mundo, o evangelho não se assemelha a poder, de maneira alguma. Ele aparenta fraqueza – pedindo às pessoas para serem como crianças e dizendo-lhes para depender de Jesus, em vez de ficarem de pé por seus próprios pés. Mas, para aqueles que creem, é o poder de Deus para dar aos pecadores a glória eterna.

Uma das razões pela qual somos tentados a sentir vergonha, mesmo do poder de Jesus, é que Jesus mostra o seu poder de formas que o mundo não reconhece como poderosas. Jesus disse a Paulo, em 2 Coríntios 12:9: "A minha graça te basta, porque o poder se aperfeiçoa na fraqueza". Paulo responde a essa manifestação estranha de poder, "De boa vontade, pois, mais me gloriarei nas fraquezas, para que sobre mim repouse o poder de Cristo. Pelo que sinto prazer nas fraquezas, nas injúrias, nas necessidades, nas perseguições, nas angústias, por amor de Cristo. Porque, quando sou fraco, então, é que sou forte" (2 Coríntios 12:9-10). Normalmente, fraqueza e insultos são ocasiões para vergonha. Mas para Paulo, são ocasiões para exultação. Paulo pensa que a vergonha de suas fraquezas e vergonha por suas perseguições seria uma vergonha inapropriada. Por quê? Porque o poder de Cristo se aperfeiçoa na fraqueza de Paulo.

Concluo disso – e de todos esses textos – que o critério bíblico para a vergonha inapropriada é radicalmente centrado em Deus. O critério bíblico diz: Não sinta vergonha por algo que honra a Deus, não importa quão fraco ou tolo isso faça você parecer aos olhos dos incrédulos.

Exemplos Bíblicos de Vergonha Apropriada

A mesma centralidade em Deus é vista quando olhamos para as passagens que ilustram a vergonha apropriada. Paulo diz aos coríntios que estavam duvidando da ressurreição: "Tornai-vos à sobriedade, como é justo, e não pequeis; porque alguns ainda não têm conhecimento de Deus; isto digo para vergonha vossa" (1 Coríntios 15:34). Aqui, Paulo diz que essas pessoas *devem* sentir vergonha. "Isto digo para vergonha vossa." A vergonha deles seria apropriada, se enxergassem a sua ignorância deplorável de Deus e como ela estava conduzindo à falsa doutrina (inexistência da ressurreição) e ao pecado na igreja. Em outras palavras, a vergonha apropriada é a vergonha por aquilo que desonra a Deus – como a ignorância de Deus, o pecado contra Deus e falsas crenças sobre Deus.

Na mesma igreja, alguns dos crentes estavam indo a tribunais seculares para resolver disputas entre si. Paulo os repreende. "Para vergonha vo-lo digo. Não há, porventura, nem ao menos um sábio entre vós, que possa julgar no meio da irmandade?" (1 Coríntios 6:5). Novamente, ele diz que eles devem sentir vergonha: "Para vergonha vo-lo digo". A vergonha deles seria apropriada, porque seu comportamento está trazendo tal descrédito sobre o seu Deus. Eles estão disputando um com o outro, diante de juízes ímpios, para resolver seus litígios. Uma vergonha apropriada é a vergonha que você sente, porque está envolvido na desonra a Deus.

Essas pessoas estavam tentando o seu melhor para parecerem fortes e corretas. Elas queriam ser vindicadas pelos homens. Elas queriam ser vencedoras no tribunal. Elas não queriam que ninguém passasse por cima delas, como se elas não tivessem direitos. Isso pareceria fraco e vergonhoso. Assim, no próprio ato de querer evitar a vergonha, como o mundo a enxerga, elas caíram no mesmo comportamento que Deus considera como vergonhoso. O ponto é: Quando você está desonrando a Deus, você deve sentir vergonha, não importa o quão forte ou sábio, ou certo você pareça aos olhos do mundo.

Quando os olhos de um cristão são abertos para o mal que desonra a Deus, em seu comportamento anterior, ele prontamente se sente envergonhado. Paulo diz à igreja romana: "Quando éreis escravos do pecado, estáveis isentos em relação à justiça. Naquele tempo, que resultados colhestes? Somente as coisas de que, agora, vos envergonhais; porque o fim delas é morte" (Romanos 6:20-21). Existe um local adequado para olhar para trás e sentir uma pontada de dor, por termos vivido de uma maneira que menosprezava tanto a Deus. Veremos, em breve, que não devemos ser paralisados por isso. Mas um coração cristão sensível não pode olhar para trás, para as loucuras da juventude, e não sentir ecos de vergonha, mesmo que tenhamos resolvido tudo com o Senhor.

A vergonha apropriada pode ser muito saudável e redentora. Paulo disse aos tessalonicenses: "Caso alguém não preste obediência à nossa palavra dada por esta epístola, notai-o; nem vos associeis com ele, para que fique *envergonhado*" (2 Tessalonicenses 3:14). Isso significa que a vergonha é um passo adequado e redentor na conversão e arrependimento de um crente, de uma temporada de frieza espiritual e pecado. Vergonha não é algo a ser evitado a todo custo. Existe um espaço para ela nos bons tratos de Deus com o seu povo.

Podemos concluir, a partir do que vimos até agora, que o critério bíblico para a vergonha inapropriada e a vergonha apropriada é radicalmente centrado em Deus. O critério bíblico para *vergonha inapropriada* diz: *Não* sinta vergonha por algo que honra a Deus, não importa quão fraco, tolo ou errado isso faça você parecer aos olhos de outras pessoas. E não tome para si mesmo a vergonha de uma situação verdadeiramente vergonhosa, a menos que você esteja de alguma forma realmente envolvido no mal. O critério bíblico para a *vergonha apropriada* diz: *Sinta* vergonha por ter uma participação em qualquer coisa que desonra a Deus, não importa o quão forte ou sábio ou certo isso faça você parecer aos olhos dos homens.

Lutando Contra a Incredulidade da Vergonha Inapropriada

Agora, entra a questão crucial que se relaciona a viver pela fé na graça futura. Como lutar contra essa emoção dolorosa chamada vergonha? A resposta é: Nós lutamos pela raiz – ao lutar contra a incredulidade que alimenta a vida dela. Lutamos pela fé nas promessas de Deus, que superam a vergonha e nos aliviam da sua dor. Eu tentarei ilustrar essa batalha com três exemplos.

Graça Futura para uma Prostituta Perdoada

Em primeiro lugar, no caso da vergonha apropriada, a dor deve *estar* lá, mas não deve *ficar* lá. Se isso acontecer, é devido a uma falta de fé nas promessas de Deus. Por exemplo, uma mulher vem a Jesus na casa de um fariseu, chorando e lavando seus pés. Sem dúvida, ela sentiu vergonha quando os olhos de Simão comunicaram a todos presentes que essa mulher era uma pecadora, e que Jesus não deveria deixá-la tocar nele. De fato, ela era uma pecadora. Havia espaço para a vergonha verdadeira. Mas não por muito tempo. Jesus disse: "Perdoados são os teus pecados" (Lucas 7:48). E quando os convidados murmuraram sobre isso, ele ajudou a sua fé outra vez, dizendo: "A tua fé te salvou; vai-te em paz" (Lucas 7:50).

Como Jesus a ajudou a combater os efeitos incapacitantes da vergonha? Ele lhe deu uma promessa: "Os seus pecados estão perdoados! A sua fé salvou você. O seu futuro será de paz". Ele declarou que o perdão passado agora renderia um futuro de paz. Assim, o problema para ela era a fé nessa graça futura, enraizada na autoridade da obra expiatória e na palavra libertadora de Jesus. Será que ela acreditaria na condenação dos olhares ameaçadores dos convidados? Ou será que ela acreditaria nas palavras tranquilizadoras de Jesus, de que a sua vergonha havia acabado – que ela está perdoada agora e no futuro, de que ela pode ir em paz, inteireza e liberdade? Em quem ela confiará? Com a promessa de quem ela satisfará a sua alma?

Essa é a maneira que cada um de nós deve lutar contra os efeitos de uma vergonha apropriada que ameaça permanecer por muito tempo e nos incapacitar. Devemos lutar contra a incredulidade, agarrando-nos às promessas de graça e paz futuras que vêm através do perdão de nossos atos vergonhosos. "Contigo... está o perdão, para que te temam" (Salmo 130:4). "Buscai o SENHOR enquanto se pode achar, invocai-o enquanto está perto. Deixe o perverso o seu caminho, o iníquo, os seus pensamentos; converta-se ao SENHOR, que se compadecerá dele, e volte-se para o nosso Deus, porque é rico em perdoar" (Isaías 55:6-7). "Se confessarmos os nossos pecados, ele é fiel e justo para nos perdoar os pecados e nos purificar de toda injustiça" (1 João 1:9). "Todo aquele que nele crê recebe remissão de pecados" (Atos 10:43).

Não importa se o ato do perdão de Deus é inteiramente passado, ou se há novo perdão no futuro[15] – em ambos os casos, a questão é o poder libertador do perdão de Deus para o nosso *futuro* – liberdade da vergonha. O perdão é cheio de graça futura. Quando vivemos pela fé na graça futura, somos libertos dos efeitos duradouros e paralisantes da vergonha apropriada.

Não me Envergonho, Porque Sei em Quem Tenho Crido

O segundo exemplo para lutar contra a vergonha é quando sentimos vergonha por algo que nem sequer é mau – como Jesus ou o evangelho. Em 2Timóteo 1:12, vemos como Paulo lutou contra esta vergonha inapropriada. Ele diz: "Não me envergonho, porque sei em quem tenho crido e estou certo de que ele é poderoso para guardar o meu depósito até aquele Dia".

Paulo deixa muito claro aqui, que a luta contra a vergonha inapropriada é uma luta contra a *incredulidade*. "Não me envergonho, porque sei em quem tenho crido" e estou confiante de seu poder mantenedor. Lutamos contra os sentimentos de vergonha de Cristo e do evangelho, e do modo de vida cristã, lutando pela fé na graça futura de Deus. Será que realmente cremos que o evangelho é o poder de Deus para a salvação? Cremos que o poder de Cristo se aperfeiçoa na nossa fraqueza? Será que realmente cremos que a glória infinita nos aguarda no lugar do ridículo? Cremos que ele nos manterá para o grande dia? A luta contra a vergonha inapropriada é a luta de viver pela fé na grandeza e glória da graça futura.

Libertados da Vergonha que Não é Nossa Para Suportar

Finalmente, lutamos contra a vergonha quando outros tentam nos sobrecarregar com vergonha por circunstâncias más, quando, na verdade, não tivemos nenhuma participação na desonra a Deus. Isto é extremamente comum. Eu diria que o diagnóstico psicológico mais comum de distúrbios emocionais das pessoas é que elas cresceram em "famílias baseadas na vergonha". Há algumas conotações detalhadas e sofisticadas de sentido nessa frase que eu não afirmaria. Mas a compreensão de vergonha inapropriada que estou desenvolvendo aqui e aquela implícita na frase "famílias baseadas na vergonha" se sobrepõem. Existe tal coisa como uma vergonha que é colocada repetidamente sobre as pessoas, mas que não pertence a elas. Libertar as pessoas que foram profundamente feridas ao carregar essa vergonha inapropriada é também o que viver pela fé na graça futura é destinado a fazer.

Tem sido um grande encorajamento para mim, perceber que essa espécie de "envergonhamento" aconteceu com Jesus, repetidamente. Por exemplo, eles o chamaram de beberrão e glutão (Lucas 7:34). Chamaram-no de destruidor do templo (Mc 14:58). Eles o chamavam de hipócrita: Salvou os outros, mas não pode salvar a si mesmo (Lucas 23:35). Em tudo isso, o objetivo era sobrecarregar Jesus com uma vergonha que não era dele para suportar. Eles esperavam poder desencorajá-lo e paralisá-lo acumulando acusações vergonhosas sobre ele.

O mesmo aconteceu na experiência de Paulo. Eles o chamaram de louco ao se defender na corte (Atos 26:24). Chamaram-no de inimigo dos costumes judaicos e transgressor da lei mosaica (Atos 21:21). Disseram que ele ensinou que se deve pecar para que a graça abunde (Romanos 3:8). Os seus inimigos disseram isso para enchê-lo com uma vergonha que não era sua para suportar.

E, sem dúvida, isso aconteceu com você, talvez a partir de pais imaturos e provavelmente de outros. E isso acontecerá novamente. Como podemos lutar contra essa vergonha inapropriada? Lutamos contra ela crendo nas promessas de Deus que, no final, todos os esforços para nos envergonhar falharão. Nós talvez lutemos agora para saber qual vergonha é a nossa para suportar, e qual não é. Mas, Deus tem uma promessa para nós, que abrange ambos os casos. Isaías promete ao povo que confia em Deus: "Não sereis envergonhados, nem confundidos em toda a eternidade" (Isaías 45:17). E Paulo aplica a promessa do Antigo Testamento para os cristãos: "Todo o que nele confia jamais será envergonhado" (Romanos 10:11, NVI).

Em outras palavras, para todo o mal, e escárnio, e crítica que outros possam usar para nos fazer sentir vergonha e, para todo o sofrimento e dor emocional que ela traga, a promessa de Deus está segura: eles não terão sucesso no final. Todos os filhos de Deus serão vindicados. A verdade será conhecida. E ninguém que coloque a sua esperança nas promessas de Deus será envergonhado. Viver pela fé na graça futura é uma vida de liberdade da vergonha incapacitante.

Não julgue o Senhor com débil entendimento,
Mas confie nele para sua graça.
Por trás de uma providência carrancuda
Ele esconde uma face sorridente.
William Cowper

Sede, pois, irmãos, pacientes, até à vinda do Senhor...
Irmãos, tomai por modelo no sofrimento e na paciência os profetas,
os quais falaram em nome do Senhor.
Eis que temos por felizes os que perseveraram firmes.
Tendes ouvido da paciência de Jó
e vistes que fim o Senhor lhe deu;
porque o Senhor é cheio de terna misericórdia e compassivo.
Tiago 5:7-11

Bom é o SENHOR para os que esperam por ele.
Lamentações 3:25

Capítulo Quatro
LUTANDO CONTRA A IMPACIÊNCIA

No Lugar de Deus, no Ritmo de Deus, Pela Graça Futura

A impaciência é uma forma de incredulidade. É o que começamos a sentir quando duvidamos da sabedoria do tempo de Deus ou da bondade de sua orientação. Ela surge em nossos corações quando o nosso plano é interrompido ou destruído. Ela pode ser incitada por uma longa espera na fila do caixa, ou um golpe repentino que suprime metade dos nossos sonhos. O oposto da impaciência não é uma negação simplista do prejuízo. É uma disposição profunda, madura e serena de esperar por Deus no local não planejado da obediência, e andar com Deus no passo não planejado da obediência – aguardar no lugar e no ritmo designados por Ele. E a chave é a fé na graça futura.

O Compromisso Inflexível de Marie Durant

Em seu livro *Passion* [Paixão], Karl Olsson conta uma história de incrível paciência entre os primeiros protestantes franceses chamados Huguenotes.

No fim do século dezessete, no... sul da França, uma menina chamada Marie Durant foi levada perante as autoridades, acusada de heresia huguenote. Ela tinha catorze anos de idade, era brilhante, atraente, passível de casamento. Ela foi convidada a renunciar a fé huguenote. Ela não foi convidada a cometer um ato imoral, a se tornar uma criminosa, ou mesmo a alterar a qualidade de seu comportamento dia após dia. Ela só foi convidada a dizer: "J'abjure". Nem mais, nem menos. Ela não consentiu. Juntamente com trinta outras mulheres huguenotes, ela foi colocada em uma torre à beira-mar.... Por trinta e oito anos, ela continuou.... E, em vez da palavra odiada *J'abjure*, ela, juntamente com as suas companheiras mártires, riscou na parede da prisão da torre a única palavra *Resistez*, resistam!

A palavra ainda é vista e deixa turistas boquiabertos diante da parede de pedra em Aigues-Mortes .... Nós não compreendemos a assustadora simplicidade de um compromisso religioso que não exige coisa alguma do tempo e não ganha nada com o tempo. Conseguimos entender uma religião que aumenta o tempo .... Mas não conseguimos compreender uma fé que não é alimentada pela esperança temporal de que amanhã as coisas serão melhores. Sentar em uma cela de prisão com outras trinta pessoas e ver o dia tornar-se noite, e o verão em outono, sentir as lentas mudanças sistêmicas dentro do seu corpo: a secagem e enrugamento da pele, a perda de tônus muscular, o endurecimento das juntas, o lento adormecimento dos sentidos – sentir tudo isso e ainda perseverar parece quase estúpido a uma geração que não tem a capacidade de esperar e persistir.¹⁶

Paciência é a capacidade de "esperar e persistir" sem murmuração e desilusão – esperar no local não planejado, e persistir no ritmo não planejado. Karl Olsson utiliza um adjetivo fundamental, que aponta para o poder por trás da paciência. Ele disse: "Nós não podemos compreender uma fé que não é alimentada pela esperança *temporal* de que amanhã as coisas serão melhores". Eu me pergunto se podemos compreender tal paciência. Certamente que não, se a esperança "temporal" for o único tipo que temos. Mas, se houver uma esperança para além desta vida temporal – se a graça futura se estender para a eternidade – então, pode haver uma compreensão profunda de tal paciência nesta vida.

Na verdade, é justamente a esperança de graça futura para além desta vida que conduz os santos pacientemente através de suas aflições. Paulo deixou isso muito claro em sua própria vida: "Por isso, não desanimamos (isto é, não sucumbimos à murmuração e à impaciência); pelo contrário, mesmo que o nosso homem exterior se corrompa, contudo, o nosso homem interior se renova de dia em dia. Porque a nossa leve e momentânea tribulação produz para nós eterno peso de glória, acima de toda comparação, não atentando nós nas coisas que se veem, mas nas que se não veem; porque as que se veem são *temporais*, e as que se não veem são *eternas*" (2 Coríntios 4:16-18). Eu não duvido que tenha sido apenas essa fé na graça futura – além da temporal – que tenha sustentado a paciência de Marie Durant e lhe dado a força para escrever por trinta e oito anos *Resistez*, na parede de sua cela.

A Força Interior da Paciência

Força é a palavra certa. O apóstolo Paulo orou pela igreja de Colossos, para que eles fossem "*fortalecidos* com todo o poder, segundo a força da sua glória, em toda a *perseverança e longanimidade* (Colossenses 1:11). Paciência é a evidência de uma força interior. Pessoas impacientes são fracas e, portanto, dependentes de apoio externo – como planejamentos perfeitos e circunstâncias que suportem seus corações frágeis. As suas explosões de ameaças, pragas e duras críticas aos culpados que cruzaram os seus planos não parecem fracas. Mas todo esse barulho é uma camuflagem da fraqueza. A paciência exige uma enorme força interior.

Para o cristão, essa força vem de Deus. É por isso que Paulo está orando pelos colossenses. Ele está pedindo a Deus para habilitá-los para a perseverança paciente que a vida cristã exige. Mas, quando ele diz que a força da paciência é "segundo a força da sua [de Deus] glória", ele não quer dizer apenas que é necessário poder divino para tornar uma pessoa paciente. Ele quer dizer que a fé nesse poder glorioso é o canal através do qual vem o poder para a paciência. A paciência é realmente um fruto do Espírito Santo (Gálatas 5:22), mas o Espírito Santo capacita (com todo o seu fruto) através da "pregação da fé" (Gálatas 3:5).[17] Portanto, Paulo está orando para que Deus nos conecte com a "força da sua glória", que habilita à paciência. E essa conexão é a fé.

Confiando em Deus Para Tornar Todas as Barreiras em Bênçãos

Especificamente, a força da glória de Deus que precisamos para ver e confiar é o poder de Deus para transformar todos os nossos desvios e obstáculos em resultados gloriosos.

Se nós acreditássemos que a nossa longa espera no sinal vermelho fosse Deus nos mantendo distantes de um acidente prestes a acontecer, nós seríamos pacientes e contentes. Se nós acreditássemos que a nossa perna quebrada fosse a maneira de Deus revelar um câncer em seu início na radiografia, para que pudéssemos sobreviver, não murmuraríamos pela inconveniência. Se acreditássemos que o telefonema no meio da noite fosse a maneira de Deus de nos despertar para sentir o cheiro de fumaça no porão da casa, não resmungaríamos com a perda do sono. A chave para a paciência é a fé na graça futura da "força da glória" de Deus, para transformar todas as nossas interrupções em recompensas.

Em outras palavras, a força da paciência depende da nossa capacidade de acreditar que Deus está planejando algo bom para nós, em todos os nossos atrasos e desvios. Isso requer muita fé na graça futura, porque a evidência raramente é evidente. Existe uma lenda contada por Richard Wurmbrand, que ilustra a necessidade de crer em Deus para propósitos bons, que não se veem, quando tudo o que conseguimos ver é mau e frustração.

> A lenda diz que Moisés, certa vez, se sentou próximo a um poço em meditação. Um viajante parou para beber do poço e, quando ele fez isso, a sua bolsa caiu de sua cintura na areia. O homem partiu. Pouco depois, outro homem passou perto do poço, viu a bolsa e a pegou. Mais tarde, um terceiro homem parou para aplacar sua sede e foi dormir na sombra do poço. Enquanto isso, o primeiro homem descobriu que a sua bolsa havia sumido e, assumindo que ele devia tê-la perdido no poço, voltou, acordou o que dormia (que, claro, não sabia de nada) e exigiu o seu dinheiro

de volta. Uma discussão se seguiu e, irado, o primeiro homem matou o último. Nesse ponto, Moisés disse a Deus: "O Senhor vê, por isso os homens não acreditam em ti. Há muito mal e injustiça no mundo. Por que o primeiro homem teve que perder a sua bolsa e, então, tornar-se um assassino? Por que o segundo obteve uma bolsa cheia de ouro sem ter trabalhado por ele? O terceiro era completamente inocente. Por que ele foi morto"? Deus respondeu: "Pelo menos uma vez e apenas uma vez, eu lhe darei uma explicação. Eu não posso fazê-lo em cada passo. O primeiro homem era filho de um ladrão. A bolsa continha dinheiro roubado por seu pai do pai do segundo homem que, ao encontrar a bolsa, apenas encontrou o que lhe era devido. O terceiro era um assassino cujo crime nunca foi revelado e que recebeu do primeiro o castigo que merecia. No futuro, acredite que há sentido e justiça no que sucede, mesmo quando você não entende".[18]

A impaciência de Moisés com Deus nessa história certamente seria superada, se ele tivesse mais fé no poder e sabedoria de Deus de transformar todas as coisas para o bem do seu povo. Deus prometeu repetidas vezes, na Bíblia, fazer exatamente isso (2 Crônicas 16:9; Salmo 23:6, 84:11; Jeremias 32:40-41; Isaías 64:4; Romanos 8:28, 32; 1 Coríntios 3:22-23). Nem toda implicação nessa lenda é fiel às Escrituras. Por exemplo, é um exagero colocar na boca de Deus estas palavras: "Pela primeira vez e apenas uma vez, eu lhe darei uma explicação". O fato é: Deus nos deu explicações como essa repetidas vezes, na Bíblia, com ilustrações suficientes para encher um livro.

A Chave para a Paciência: "Deus o Tornou em Bem"

Por exemplo, a história de José em Gênesis 37-50 é uma grande lição de por que devemos ter fé na soberana graça futura de Deus. José é vendido como escravo por seus irmãos, o que deve ter testado enormemente a sua paciência. Mas lhe é dado um bom trabalho na casa de Potifar. Então, quando ele está agindo com retidão no local não planejado da obediência, a esposa de Potifar mente sobre a sua integridade e lhe joga na prisão – outra grande prova para sua paciência. Mas, novamente, as coisas mudam para melhor e o carcereiro lhe dá responsabilidade e respeito. Mas, justamente quando ele pensa que está prestes a obter um indulto do copeiro de Faraó, cujo sonho ele interpretou, o copeiro o esquece por mais dois anos. Finalmente, o significado de todos esses desvios e atrasos se torna claro. José diz aos seus irmãos há muito afastados: "Deus me enviou adiante de vós, para conservar vossa sucessão na terra e para vos preservar a vida por um grande livramento.... Vós, na verdade, intentastes o mal contra mim; porém Deus o tornou em bem, para fazer, como vedes agora, que se conserve muita gente em vida" (Gênesis 45:7, 50:20).

Qual teria sido a chave para a paciência de José durante todos esses longos anos de exílio e abuso? A resposta é: fé na graça futura – a graça soberana de Deus para transformar o lugar não planejado e o ritmo não planejado no final mais feliz que se possa imaginar.

Tragédia na Lua de Mel

Não é a história de todo mundo que termina tão bem nesta vida. Benjamin Warfield foi um teólogo mundialmente renomado, que ensinou no Seminário de Princeton por quase trinta e quatro anos, até a sua morte em 16 de fevereiro de 1921. Muitas pessoas estão cientes de seus livros famosos, como *A Inspiração e Autoridade da Bíblia*. Mas o que a maioria das pessoas não sabe é que, em 1876, com a idade de vinte e cinco anos, ele se casou com Annie Pierce Kinkead e saiu em lua de mel para a Alemanha. Durante uma violenta tempestade, Annie foi atingida por um raio e ficou permanentemente paralisada. Depois de cuidar dela por trinta e nove anos, Warfield a enterrou em 1915. Por causa de suas necessidades extraordinárias, Warfield raramente deixava sua casa por mais de duas horas, durante todos esses anos de casamento.[19]

Agora, aqui estava um sonho destruído. Lembro-me de dizer à minha esposa uma semana antes de nos casarmos, "Se tivermos um acidente de carro em nossa lua de mel, e você ficar desfigurada ou paralisada, eu manterei os meus votos, 'Na saúde ou na doença'". Mas, para Warfield isso realmente aconteceu. Ela nunca foi curada. Não houve um reinado no Egito ao fim da história – apenas a paciência espetacular e a fidelidade de um homem a uma mulher por trinta e oito anos, do que nunca foi planejado – pelo menos, não planejado pelo homem. Mas, quando Warfield chegou a escrever os seus pensamentos em Romanos 8:28, ele disse: "O pensamento fundamental é o governo universal de Deus. Tudo o que vem até você está sob a mão controladora dele. O pensamento secundário é o favor de Deus para com aqueles que o amam. Se ele governa tudo, então, nada, exceto o bem, pode acontecer àqueles a quem ele faria o bem .... Embora sejamos muito fracos para ajudar a nós mesmos, e cegos demais para pedir pelo que precisamos, e possamos apenas gemer em anseios informes, ele é o autor em nós desses mesmos anseios ... e ele governará assim todas as coisas para que colhamos apenas o bem de tudo os que se abater sobre nós".[20]

Nem Mesmo a Morte é uma Interrupção Decisiva

Isso é verdadeiro, mesmo em caso de morte. Alguns santos morrem na prisão (Apocalipse 2:10). Mas até mesmo a morte torna-se serva dos filhos de Deus. Isso é o que Paulo queria expressar, quando disse: "Tudo é vosso:... seja o mundo, seja a vida, seja a morte... tudo é vosso, e vós, de Cristo, e Cristo, de Deus" (1 Coríntios 3:21-23). Sendo posse nossa, a morte nos serve; ela existe para nosso benefício. Outra maneira de dizer isso é que a morte não pode nos separar do amor de Deus, mas que nela – como na "angústia, ou perseguição, ou fome, ou nudez, ou perigo, ou espada" – "somos mais que vencedores, por meio daquele que nos amou" (Romanos 8:35-37). Mesmo se morrermos, nós conquistamos. E a morte acaba servindo o nosso melhor interesse.[21]

Assim, a lição de José – e toda a Bíblia – afirma: Quando atrasos, e desvios, e frustrações, e oposição arruínam os nossos planos e predizem o mal para nós, a fé na graça futura se prende ao propósito soberano de Deus de realizar algo magnífico. Essa é a chave para a paciência.

O Caminho da Paciência Fiel não é uma Linha Reta

Outra grande lição de como a soberania da graça de Deus conduz à paciência é a história de como o templo foi reconstruído, após o exílio babilônico. A maneira como Deus transforma as coisas é tão maravilhosa que ele devia estar sorrindo. Israel havia estado no exílio por décadas. Agora, no planejamento de Deus, o tempo havia chegado para a sua restauração à terra prometida.

Como isso poderia acontecer? Essa foi, sem dúvida, a pergunta na mente de muitos judeus, enquanto eles lutavam para serem pacientes com o tempo de Deus. A resposta é que Deus é soberano sobre a vontade dos imperadores. Esdras nos diz que "no primeiro ano de Ciro, rei da Pérsia, para que se cumprisse a palavra do SENHOR, por boca de Jeremias, despertou o SENHOR o espírito de Ciro, rei da Pérsia... de lhe edificar uma casa em Jerusalém de Judá" (Esdras 1:1-2). Isso é absolutamente surpreendente. Do nada, Deus move o coração de Ciro, a dar atenção a este pequeno povo chamado judeu, e os envia a Jerusalém para reconstruir o templo. Quem teria imaginado que poderia acontecer dessa maneira? Talvez, aqueles que têm fé na graça futura. Mas o melhor ainda está por vir.

Mais de 42.000 refugiados judeus retornam e começam a construir o templo em Jerusalém. Imagine a alegria. Mas tenha cuidado. O caminho da fidelidade raramente é uma linha reta para a glória. Os inimigos em Judá se opuseram a eles, e os desencorajaram. "Então, as gentes da terra desanimaram o povo de Judá, inquietando-o no edificar; alugaram contra eles conselheiros para frustrarem o seu plano, todos os dias de Ciro, rei da Pérsia, até ao reinado de Dario, rei da Pérsia" (Esdras 4:4-5). Imagine a frustração e impaciência do povo. Deus tinha, aparentemente, aberto a porta para reconstruir o templo, e agora havia oposição paralisante.

Mas Deus tinha um plano diferente. Ó, para pessoas com fé na graça futura verem o que apenas com olhos físicos não se pode ver! Sim, as gentes da terra haviam parado a construção. Mas nós não podemos confiar em Deus, que a mesma soberania que moveu Ciro também prevalece sobre os adversários locais? Estamos tão lentos para aprender a lição da graça soberana de Deus! Em Esdras 5:1, Deus envia dois profetas, Ageu e Zacarias, para inspirar o povo a começar a construir novamente. Naturalmente, os inimigos ainda estão lá. Eles tentam novamente parar a construção do templo. Eles escrevem uma carta para Dario, o novo imperador. Mas tudo dá completamente errado, e agora vemos por que Deus havia permitido que a construção cessasse, temporariamente.

Em vez de concordar com a carta e parar a construção do templo, Dario procura os arquivos e encontra o decreto original de Ciro, que autorizou a construção do templo. O resultado é impressionante. Ele escreve de volta a notícia – além do que eles poderiam pedir ou imaginar. Ele diz aos inimigos em Judá, "Não interrompais a obra desta Casa de Deus.... Também por mim se decreta o que haveis de fazer a estes anciãos dos judeus, para que reedifiquem esta Casa de Deus, a saber, *que da tesouraria real, isto é, dos tributos dalém do rio, se pague, pontualmente, a despesa a estes homens, para que não se interrompa a obra*" (Esdras 6:7-8). Em outras palavras, Deus ordenou um contratempo por um tempo, para que o templo não só fosse construído, mas *custeado* por Dario! Será que se a fé pudesse apreender esse tipo de graça futura, a impaciência não seria vencida?

E para que não duvidemos de que isso era realmente tudo um plano de Deus, Esdras 6:22 afirma o grande fato claramente: "O SENHOR os tinha alegrado, mudando o coração do rei da Assíria a favor deles, para lhes fortalecer as mãos na obra da Casa de Deus, o Deus de Israel". Se William Cowper (1731-1800) já tivesse escrito o seu grande hino: "God Moves in a Mysterious Way" [Deus se Move de Forma Misteriosa], eu acho que o povo de Israel o teria cantado.

> *Não julgue o Senhor com débil entendimento,*
> *Mas confie nele para sua graça,*
> *Por trás de uma providência carrancuda,*
> *Ele oculta uma face sorridente.*

Viver pela fé na graça futura significa acreditar que "como ribeiros de águas assim é o coração do rei na mão do SENHOR; este, segundo o seu querer, o inclina" (Provérbios 21:1). Deus fez isso com Ciro (Esdras 1:1), ele fez isso com Dario (Esdras 6:22), e fez isso mais tarde com Artaxerxes: "Bendito seja o SENHOR, Deus de nossos pais, que *deste modo moveu o coração do rei* para ornar a Casa do SENHOR" (Esdras 7:27). Deus está governando o mundo. Ele está governando a história. E é tudo para o bem do seu povo e para a glória do seu nome. "Desde a antiguidade não se ouviu, nem com ouvidos se percebeu, nem com os olhos se viu Deus além de ti, que *trabalha para aquele que nele espera*" (Isaías 64:4). O poder da paciência flui através da fé na soberana graça futura de Deus.

O Senhor é Cheio de Terna Misericórdia e Compassivo

Temos enfatizado que essa graça é "soberana". Precisamos também salientar que isso é graça. É misericordiosa e cheia de boa vontade em relação a nós. Isso é o que Tiago salienta sobre a experiência de sofrimento de Jó e a sua luta contra a impaciência. Tiago nos ordena a sermos pacientes e nos dá a chave:

> Sede, pois, irmãos, pacientes, até à vinda do Senhor. Eis que o lavrador aguarda com paciência o precioso fruto da terra, até receber as primeiras e as últimas chuvas. Sede vós também pacientes e fortalecei o vosso coração, pois a

vinda do Senhor está próxima. Irmãos, não vos queixeis uns dos outros, para não serdes julgados. Eis que o juiz está às portas. Irmãos, tomai por modelo no sofrimento e na paciência os profetas, os quais falaram em nome do Senhor. Eis que temos por felizes os que perseveraram firmes. Tendes ouvido da paciência de Jó e vistes *que fim o Senhor lhe deu; porque o Senhor é cheio de terna misericórdia e compassivo.* (Tiago 5:7-11)

Tiago quer que vejamos o fim do sofrimento de Jó. A palavra "fim" é *telos* e significa "objetivo". Era o objetivo de Deus, em todas as suas relações com Jó, ser misericordioso e prepará-lo para uma bênção maior. Isso é o que Jó tinha deixado passar e a razão de ele se arrepender da sua murmuração, do jeito que fez: "Por isso, me abomino e me arrependo no pó e na cinza" (Jó 42:6). O poder da paciência flui da fé nesta verdade: Em todas as suas relações conosco, o seu objetivo é "cheio de terna misericórdia e compassivo". A fé na graça futura é a fé na graça que é soberana, e soberania que é graciosa.

Pela Fé e Paciência Herdamos as Promessas

A paciência é sustentada pela fé na promessa de graça futura. Em cada frustração não planejada no caminho da obediência, a Palavra de Deus é verdadeira: "Não deixarei de lhes fazer o bem.... Alegrar-me-ei por causa deles e lhes farei bem; plantá-los-ei firmemente nesta terra, de todo o meu coração e de toda a minha alma" (Jeremias 32:40-41). Ele nos segue com bondade e misericórdia todos os dias (Salmo 23:6). A murmuração impaciente é, portanto, uma forma de incredulidade.

É por isso que o mandamento de ser paciente assume um imenso significado. Jesus disse: "É na vossa perseverança [paciente] que ganhareis a vossa alma" (Lucas 21:19). E o escritor aos Hebreus disse: "Sejais imitadores dos que pela fé e paciência herdam as promessas" (Hebreus 6:12, ACRF). Chegamos à nossa herança pelo caminho da paciência, não porque a paciência é uma obra da carne que adquire a salvação, mas porque a paciência é um fruto da fé na graça futura.

Precisamos lembrar constantemente a nós mesmos que somos salvos *para* as boas obras, e não *pelas* boas obras. "Pela graça sois salvos, mediante a fé; e isto não vem de vós; é dom de Deus; *não de obras*, para que ninguém se glorie. Pois somos feitura dele, criados em Cristo Jesus *para boas obras*, as quais Deus de antemão preparou para que andássemos nelas" (Efésios 2:8-10). Somente a fé nos une a Cristo, que é a nossa justiça perfeita diante de Deus. Nesta posição justa, que temos pela fé somente, recebemos o Espírito Santo para nos ajudar a *perseverar* até o fim, em crescente semelhança a Cristo. Essa perseverança na obediência paciente e imperfeita é necessária (já que o fruto comprova a realidade da fé e união com Cristo), mas não é o fundamento da nossa posição justa diante de Deus. Cristo é. Por causa dessa confiança e tudo o que ela implica para o nosso futuro, nós perseveramos por tempos difíceis.

Charles Simeon esteve na Igreja da Inglaterra de 1782 a 1836 na Trinity Church, em Cambridge. Ele foi nomeado para a sua igreja por um bispo, contra a vontade do povo. Eles se opuseram a ele, não porque ele era um mau pregador, mas porque ele era um evangélico – ele acreditava na Bíblia e chamava à conversão, santidade e evangelização mundial.

Durante doze anos, as pessoas se recusaram a deixá-lo dar o sermão de domingo à tarde. E durante esse tempo eles boicotaram o culto da manhã de domingo e bloquearam os seus bancos, de modo que ninguém pudesse sentar neles. Ele pregou para as pessoas nos corredores por doze anos! A média de permanência de um pastor nos Estados Unidos é inferior a quatro anos. Simeon começou com doze anos de intensa oposição – e permaneceu por cinquenta e quatro anos. Como ele perseverou em tanta paciência?

> Em tais circunstâncias, eu não via remédio, além de fé e paciência [Note: a ligação entre fé e paciência!]. A passagem da Escritura que subjugou e controlou a minha mente foi esta: "Ao servo do Senhor não convém contender" [Note: A arma na luta pela fé e paciência era a Palavra!] Foi doloroso, de fato, ver a igreja, com a exceção dos corredores, quase abandonada; mas eu pensei que, se Deus apenas desse uma bênção em dobro para a congregação que, de fato, frequentava, seria tão bom quanto se a congregação fosse em dobro, e a bênção limitada a apenas metade da quantidade. Isso me confortou muitas e muitas vezes, quando, sem essa reflexão, eu teria afundado sob o meu fardo.[22]

Onde ele obteve a garantia de que, se ele trilhasse o caminho da paciência, haveria uma bênção no seu trabalho que compensaria as frustrações de ter todos os bancos bloqueados? Ele a obteve a partir de passagens que prometiam graça futura – textos como Isaías 30:18, "Bem-aventurados todos os que nele [no Senhor] esperam". A Palavra venceu a incredulidade, e a fé na graça futura venceu a impaciência.

Cinquenta e quatro anos depois, ele estava morrendo. Era outubro de 1836. As semanas se arrastavam, como acontece para muitos santos moribundos. Eu aprendi, ao lado de muitos crentes moribundos, que a luta contra a impaciência pode ser muito intensa no leito de morte. Em 21 de outubro, aqueles ao redor do seu leito o ouviram dizer lentamente estas palavras, com longas pausas:

> A sabedoria infinita planejou tudo com amor infinito; e o poder infinito me capacita – a descansar sobre esse amor. Eu estou nas mãos de um querido Pai – tudo é seguro. Quando olho para ele, não vejo nada além de fidelidade – e imutabilidade – e verdade; e eu tenho a mais doce paz – eu não poderia ter mais paz.[23]

A razão pela qual Simeon pôde morrer assim é porque ele havia treinado a si mesmo, durante cinquenta e quatro anos, a ir às Escrituras e agarrar-se às promessas de graça futura e usá-las para vencer a incredulidade da impaciência. Ele tinha aprendido a usar a espada do Espírito para lutar a batalha da fé na graça futura. Pela fé na graça futura, ele havia aprendido a esperar com Deus no *lugar* não planejado da obediência, e andar com Deus no ritmo não planejado da obediência. Com o salmista, ele disse: "*Aguardo* o SENHOR, a minha alma o *aguarda*; eu *espero na sua palavra*" (Salmo 130:5). Em sua vida e morte, Charles Simeon torna simples e poderosa a promessa: "Bom é o SENHOR para os que esperam por ele" (Lamentações 3:25).

*Conservem-se livres do amor ao dinheiro
e contentem-se com o que vocês têm,
porque Deus mesmo disse: '
Nunca o deixarei, nunca o abandonarei'.
Podemos, pois, dizer com confiança:
'O Senhor é o meu ajudador, não temerei.
O que me podem fazer os homens'"?*
Hebreus 13:5-6, NVI

*Aprendi a viver contente em toda e qualquer situação.
Tanto sei estar humilhado
como também ser honrado;
de tudo e em todas as circunstâncias,
já tenho experiência, tanto de fartura como de fome;
assim de abundância como de escassez;
tudo posso naquele que me fortalece.*
Filipenses 4:11-13

Mas é grande ganho a piedade com contentamento.
1 Timóteo 6:6, NVI

Capítulo Cinco

LUTANDO CONTRA A COBIÇA

O Quadro Geral

Vamos manter o quadro geral estratégico claro, enquanto nos focamos nas várias batalhas táticas da vida cristã nestes capítulos. O objetivo deste livro é fixar em nossas mentes esta verdade: A forma de combater o pecado em nossas vidas é lutar contra a nossa inclinação à incredulidade. Temos a tendência a nos afastarmos de uma confiança sincera em quem Cristo é, no que ele fez por nós e em todas as promessas que estão garantidas por causa de Cristo. Nunca devemos perder a noção do sangue e justiça de Cristo como fundamento de nossa posição justa diante de Deus, e garantia de todas as promessas de Deus. Pela fé em Cristo, nós o acolhemos como nossa justiça e acolhemos tudo o que Deus promete ser para nós, nele. O cumprimento dessas promessas, fundamentado na obra de Cristo, é o que eu quero dizer com graça futura. É assim que lutamos contra o pecado. Ou, colocando de forma positiva, a nossa forma de buscar justiça e amor é lutar pela fé na graça futura.

Por que Lutar Pela Fé na Graça Futura?

Existe uma santidade prática, sem a qual não veremos o Senhor. "Segui a paz com todos e a santificação, sem a qual ninguém verá o Senhor" (Hebreus 12:14). Muitos vivem como se não fosse assim. Há cristãos professos que vivem vidas tão profanas que ouvirão as terríveis palavras de Jesus: "Nunca vos conheci. Apartai-vos de mim, os que praticais a iniquidade" (Mateus 7:23). Há pessoas que frequentam a igreja que acreditam serem salvas porque uma vez oraram para receber Jesus, não percebendo que a autenticidade dessa experiência é comprovada pela perseverança: "Aquele, porém, que *perseverar até o fim*, esse será salvo" (Mateus 24:13). Paulo diz aos crentes professos: "Se viverdes segundo a carne, caminhais para a morte" (Romanos 8:13). Portanto, há uma santidade sem a qual ninguém verá o Senhor. E aprender a lutar pela santidade a partir da fé na graça futura é extremamente importante.

Uma segunda razão para enfatizar essa estratégia particular na luta contra o nosso pecado é que há outra maneira de buscar a santidade que produz efeitos negativos e leva à morte. Que tragédia, que eu possa persuadi-lo a partir da Escritura de que há uma santidade, sem a qual não veremos o Senhor – só para, no fim das contas, fazê-lo começar a lutar por ela de uma forma que é condenada na Escritura e fadada ao fracasso!

Os apóstolos nos alertam contra servir a Deus de qualquer outra forma que não seja pela fé em sua graça capacitadora. Por exemplo, Pedro diz: "Se alguém serve, faça-o na *força que Deus su-*

pre, para que, em todas as coisas, seja Deus glorificado, por meio de Jesus Cristo" (1 Pedro 4:11). E Paulo diz: "Não ousarei discorrer sobre coisa alguma, senão sobre aquelas que *Cristo fez por meu intermédio*" (Romanos 15:18; cf. 1 Coríntios 15:10). Momento a momento, a graça chega para nos capacitar a fazer "toda boa obra" que Deus aponta para nós. "Deus pode fazer-vos abundar em toda *graça*, a fim de que, tendo sempre, em tudo, ampla suficiência, superabundeis em *toda boa obra*" (2 Coríntios 9:8). A luta pelas boas obras é uma luta para crer na graça futura.

Uma terceira razão para esse foco na luta pela fé na graça futura é que eu anseio que Deus seja glorificado em nossa busca por santidade e amor. Mas Deus não é glorificado, a menos que a nossa busca seja habilitada pela fé em suas promessas. E o Deus que revelou a si mesmo mais plenamente em Jesus Cristo, que foi crucificado por nossos pecados e ressuscitou para nossa justificação (Romanos 4:25), é mais glorificado quando abraçamos as suas promessas com firmeza alegre, porque elas são compradas pelo sangue de seu Filho.

Deus é honrado quando somos humilhados por nossa fraqueza e fracasso, e quando confiamos nele para a graça futura (Romanos 4:20). Então, a menos que aprendamos a como viver pela fé na graça futura, podemos realizar práticas religiosas notáveis, mas não para a glória de Deus. Ele é glorificado quando o poder para ser santo é proveniente de fé humilde na graça futura. Martinho Lutero disse: "[A fé] honra aquele que é o objeto da confiança com o mais reverente e alto respeito, uma vez que o considera verdadeiro e digno de confiança".[24] O Doador que é confiado recebe a glória.

Meu grande desejo é que aprendamos a viver para a honra de Deus. E isso significa viver pela fé na graça futura, a qual, por sua vez, significa lutar contra a incredulidade em todas as formas como ela se mostra, incluindo a cobiça.

O que é a Cobiça?

Surpreendentemente, de todos os pecados, a cobiça está classificada suficientemente no alto – ou baixo o suficiente – para ser explicitamente proibida nos Dez Mandamentos: "Não cobiçarás" (Êxodo 20:17). Existe uma boa pista para o seu significado em 1 Timóteo 6:5-6. Fala de "homens cuja mente é pervertida e privados da verdade, supondo que a piedade é fonte de lucro. De fato, grande fonte de lucro é a piedade com o contentamento". A palavra "cobiça" não é usada aqui, mas a realidade é que esse texto tem tudo a ver. Quando o versículo 5 diz que alguns estão tratando a piedade como uma fonte de lucro, Paulo responde no versículo 6, que "grande fonte de lucro é a piedade com o contentamento". Isso nos dá a chave para a definição de cobiça.

Cobiça é desejar tanto algo, que você perde o seu contentamento em Deus. O oposto da cobiça é o contentamento em Deus.

Quando o contentamento em Deus diminui, a cobiça por lucro aumenta. É por isso que Paulo diz, em Colossenses 3:5, que a cobiça é idolatria. "Matem os desejos deste mundo que agem em vocês, isto é, a imoralidade sexual, a indecência, as paixões más, os maus desejos e a cobiça, *porque a cobiça é um tipo de idolatria*" (NTLH). É idolatria, pois o contentamento que o coração deveria estar obtendo de Deus, ele começa a obter de outra coisa.

Então, cobiça é desejar tanto algo, que você perde o seu contentamento em Deus, ou é perder o seu contentamento em Deus, de forma que você comece a procurá-lo em outro lugar.

Você considerou, alguma vez, que os Dez Mandamentos começam e terminam praticamente com o mesmo mandamento – "Não terás outros deuses diante de mim" (Êxodo 20:3) e "Não cobiçarás" (Êxodo 20:17)? Esses mandamentos são quase equivalentes. Cobiça é desejar qualquer outra coisa senão Deus, de uma forma que revele uma perda de contentamento e satisfação nele. A cobiça é um coração dividido entre dois deuses. Assim, Paulo chama isso de idolatria.

Foge da Cobiça, Luta Pela Fé

Em 1 Timóteo 6:6-12, Paulo está tentando persuadir e capacitar as pessoas para que não sejam cobiçosos. Mas, vamos garantir que vejamos como Paulo entende essa luta contra a cobiça. Ele dá razões para não serem cobiçosos nos versículos 6-10 (aos quais voltaremos). Então, no versículo 11, ele diz a Timóteo para fugir do amor ao dinheiro e do desejo de ser rico. "Ó homem de Deus, foge destas coisas." Em vez de ceder à cobiça, ele continua: "Segue a justiça, a piedade, a *fé*, o amor, a constância, a mansidão". Então, dessa lista, ele pega a "fé" para uma atenção especial, e diz no versículo 12: "Combate o bom combate da fé". Em essência, então, ele diz: "Foge da cobiça ... combate o bom combate da fé".

Em outras palavras, a luta contra a cobiça não é nada mais do que a luta da fé na graça futura.

A Luta Por Contentamento, isto é, Fé na Graça Futura

Quando você para e pensa sobre o assunto, é exatamente nisso que a definição de cobiça implica. Eu disse que cobiça é desejar tanto algo, que você perde o seu contentamento em Deus, ou é perder o seu contentamento em Deus, de forma que comece a procurar satisfação em outro lugar. Mas esse contentamento em Deus é exatamente o que a fé é.

Jesus disse, em João 6:35: "Eu sou o pão da vida; o que vem a mim jamais terá fome; e o que *crê* em mim jamais terá sede".[25] Em outras palavras, crer em Jesus significa experimentá-lo como a satisfação da sede da minha alma e a fome do meu coração. Fé é a experiência da satisfação em Jesus. O combate da fé é a luta para manter seu coração contente em Cristo – realmente acreditar e continuar acreditando que ele atenderá todas as necessidades e satisfará cada anseio.

Gratidão por Donativos sem os quais Você está Satisfeito

Paulo disse que essa não era apenas uma luta a ser travada (1 Timóteo 6:12), mas um segredo que tinha que ser aprendido. "*Aprendi* a adaptar-me a toda e qualquer circunstância... *Aprendi o segredo* de viver contente em toda e qualquer situação, seja bem alimentado, seja com fome, tendo muito, ou passando necessidade" (Filipenses 4:11-12, NVI). A força do testemunho de Paulo aqui fica mais evidente, se virmos por que ele escreveu aos filipenses. Ele está escrevendo este quarto capítulo de Filipenses para agradecer à igreja por sua generosidade financeira para com ele. Mas Paulo havia sido reprovado com críticas, mais de uma vez, por ter segundas intenções em seu ministério – que ele queria realmente o dinheiro do povo, e não a sua salvação (veja 1 Coríntios 9:4-18; 2 Coríntios 11:7-12, 12:14-18; 1 Tessalonicenses 2:5, 9; Atos 20:33). Assim, ele é arredio quanto a dar qualquer impressão de que esteja ansioso por receber dinheiro.

Como ele desvia essa suspeita? Por duas vezes ele diz: "Obrigado, mas ...". Em Filipenses 4:10-11 ele diz: "Alegrei-me, sobremaneira, no Senhor porque, agora, uma vez mais, renovastes a meu favor o vosso cuidado (financeiro)... Digo isto, *não por causa* da pobreza". Em outras palavras, a minha alegria pela sua doação não é porque eu perdi o meu contentamento. Pelo contrário, "aprendi a viver contente em toda e qualquer situação. Tanto sei estar humilhado como também ser honrado". Para desviar as críticas de que ele seja cobiçoso pelas doações, ele diz que a sua gratidão por suas doações não vem de descontentamento.

Ele faz a mesma coisa no parágrafo seguinte (Filipenses 4:15-17). Ele os elogia, por ser a única igreja que lhe enviou apoio repetidamente. "E sabeis também vós, ó filipenses, que ... nenhuma igreja se associou comigo no tocante a dar e receber, senão unicamente vós outros.... *Não que* eu procure o donativo, mas o que realmente me interessa é o fruto que aumente o vosso crédito". Aqui, novamente: "Obrigado, mas ...". Ele desvia a acusação de cobiça. "Estou feliz por vocês me apoiarem, mas ... não me interpretem mal. Se parece que eu estou procurando pelos seus donativos, é um erro."

Só que desta vez, ao invés de dizer que ele aprendeu a ser contente sem seus donativos (vv. 11-12), ele diz que a causa da sua alegria é o benefício *deles*, não dele. "O que realmente me interessa é o fruto que aumente o vosso crédito." *Eles* são os mais ricos pela sua generosidade, não apenas Paulo. Como Jesus disse, eles foram ajuntando para si mesmos tesouros no céu, por serem generosos com os necessitados (Lucas 12:33).

Assim, após a sua primeira expressão de agradecimento, ele diz, "Não me entendam mal, não estou descontente" (ver Filipenses 4:11). E depois da sua segunda expressão de agradecimento, ele diz: "Não me entendam mal, o que realmente busco é que vocês sejam abençoados" (ver Filipenses 4:17). Isso mostra que o amor é o outro lado do contentamento. O amor "não procura os seus interesses" (1 Coríntios. 13:5). Ele busca o bem do próximo (1 Coríntios 10:24). Isso é o que Paulo estava fazendo. "Não que eu procure o donativo, mas o que realmente me interessa é o fruto que aumente o vosso crédito." De onde é que esse impulso de amor vem? Ele vem do contentamento. "Aprendi a viver contente em toda e qualquer situação." Portanto, o que eu procuro não é o donativo que vem a mim quando recebo, mas o benefício que lhes vem ao dar. O contentamento é a causa do amor.

Posso todas as coisas em Cristo, incluindo Passar Fome

E de onde esse contentamento vem? O versículo 13 dá a resposta: "*Tudo* posso naquele que me fortalece". A provisão da graça futura diária de Deus capacita Paulo a passar por fartura ou fome, prosperar ou sofrer, ter abundância ou necessidade. "Tudo posso" realmente significa "tudo", não apenas as coisas fáceis. "Tudo" significa: "Por Cristo eu posso ter fome, sofrer e passar necessidades". Isso coloca a maravilhosa promessa do versículo 19 na luz apropriada: "O meu Deus, segundo a sua riqueza em glória, há de suprir, em Cristo Jesus, cada uma de vossas necessidades". O que "cada uma de vossas necessidades" significa, à luz de Filipenses 4:14? Significa "tudo o que você precisa para o contentamento que glorifica a Deus". O amor de Paulo pelos filipenses fluiu de seu contentamento em Deus, e seu contentamento fluiu de sua fé na graça futura da provisão infalível de Deus.

É óbvio, então, que a cobiça é exatamente o oposto da fé. É a perda do contentamento em Cristo, de modo que começamos a almejar outras coisas para satisfazer os desejos do nosso coração. E não há dúvidas de que a luta contra a cobiça seja uma luta contra a incredulidade e pela fé na graça futura. Sempre que sentirmos a menor elevação da cobiça em nossos corações, devemos nos voltar para ela e combatê-la com todas as nossas forças, usando as armas da fé.

Devemos Acreditar nos Alertas Também

Paulo viu, claramente, que o principal combustível para a fé é a Palavra de Deus – as promessas como "Meu Deus suprirá ...." Então, quando a cobiça começa a levantar a sua cabeça gananciosa, o que devemos fazer é começar a pregar a Palavra de Deus a nós mesmos. Precisamos ouvir o que Deus diz. Precisamos ouvir as suas advertências sobre o que acontece com os cobiçosos e quão sério é cobiçar. E precisamos ouvir as suas promessas de graça futura, que trazem grande satisfação à alma e nos libertam para amar.

Considere algumas advertências contra a cobiça. Deixe que elas lhe façam correr em direção às promessas que destroem a cobiça.

1. *A cobiça nunca traz satisfação.*

"Quem ama o dinheiro jamais dele se farta; e quem ama a abundância nunca se farta da renda; também isto é vaidade" (Eclesiastes 5:10). A Palavra de Deus sobre dinheiro é que ele não satisfaz aqueles que o amam. Se acreditarmos em Deus, nós nos afastaremos do amor ao dinheiro. É um beco sem saída.

Jesus colocou assim, em Lucas 12:15: "Acautelai-vos e guardai-vos de toda espécie de cobiça; porque a vida do homem não consiste na abundância das coisas que possui" (ARIB). Se fosse o caso da Palavra do Senhor precisar de confirmação, há pessoas ricas miseráveis suficientes no mundo para provar que uma vida satisfeita não vem por possuir coisas. Veja as notícias e observe se não é verdade que tantas pessoas cometem suicídio pulando da Ponte Coronado, em San Diego (apesar da riqueza), quanto da ponte do Brooklyn, em Nova York (por causa da pobreza).

2. *A Cobiça Sufoca a Vida Espiritual.*

Quando Jesus contou a parábola dos solos (Marcos 4:1-20), ele disse que uma parte das sementes "caiu entre os espinhos; e os espinhos cresceram e a sufocaram". Em seguida, ele interpretou a parábola e disse que a semente é a Palavra de Deus. Os espinhos sufocando a semente são "os cuidados do mundo, a fascinação da riqueza e as demais ambições" (v. 19). A cobiça é o "desejo de outras coisas", em concorrência com a Palavra de Deus.

Uma verdadeira batalha se trava, quando a Palavra de Deus é pregada. "O desejo de outras coisas" pode ser tão forte, que os princípios da vida espiritual podem ser sufocados por completo. Esse é um alerta tão terrível que todos nós deveríamos estar atentos a cada vez que ouvirmos a Palavra, para recebê-la com fé e não sufocá-la com a cobiça. Esta é a conclusão de Jesus, após contar essa parábola: "Vede, pois, como ouvis" (Lucas 8:18).

3. *A Cobiça Cria Muitos Outros Pecados.*

Quando Paulo diz: "O amor do dinheiro é raiz de todos os males" (1 Timóteo 6:10), ele quer dizer que o tipo de coração que encontra contentamento no dinheiro e não em Deus é o tipo de coração que produz todos os outros tipos de males. Tiago dá um exemplo: "Vocês cobiçam e não conseguem obter, assim, vocês lutam e promovem guerra" (Tiago 4:2, minha tradução). Em outras palavras, se estivéssemos contentes, como Paulo, em tempos difíceis e em tempos fáceis, não seríamos levados a lutar e guerrear dessa forma. A cobiça é um terreno fértil para milhares de outros pecados. E isso aumenta o alerta para fugir dela e lutar pelo contentamento em Deus, com todas as nossas forças.

4. A Cobiça Desaponta Quando Você Mais Precisa de Ajuda.

Ela desaponta você na hora da morte. Em 1 Timóteo 6:7, Paulo diz: "Porque nada temos trazido para o mundo, nem coisa alguma podemos levar dele". Na maior crise de sua vida, quando você precisa de contentamento, esperança e segurança mais do que em qualquer outro momento, o seu dinheiro e todas as suas posses levantam voo e vão para longe. Eles desapontam você. Na melhor das hipóteses, eles são amigos somente quando as coisas vão bem para você. E você adentra a eternidade com nada, exceto a medida de contentamento que teve em Deus.

Se você caísse morto agora, você levaria consigo uma carga de prazer em Deus ou você ficaria diante dele com uma cavidade espiritual no lugar onde a cobiça costumava estar? A cobiça desaponta justamente quando você mais precisa de ajuda.

5. No final, a cobiça destrói a alma.

Em 1 Timóteo 6:9, Paulo diz novamente: "Os que querem ficar ricos caem em tentação, e cilada, e em muitas concupiscências insensatas e perniciosas, as quais afogam os homens na ruína e perdição". No final, a cobiça pode destruir a alma no inferno. A razão pela qual eu estou seguro de que essa destruição não se refere a um fiasco financeiro temporário, mas à destruição final no inferno, é o que Paulo diz no versículo 12. Ele diz que a cobiça é para ser combatida com a luta da fé, e então acrescenta: "Toma posse da vida eterna, para a qual também foste chamado e de que fizeste a boa confissão". O que está em jogo, ao fugir da cobiça e lutar por contentamento na graça futura é a vida eterna.

Assim, quando Paulo diz, em 1 Timóteo 6:9, que o desejo de ser rico afoga os homens na ruína, ele não está dizendo que a ganância pode atrapalhar o seu casamento ou o seu negócio (o que certamente pode!). Ele está dizendo que a cobiça pode atrapalhar a sua eternidade. Ou, como o versículo 10 diz, no final: "Alguns, nessa cobiça, se desviaram da fé e a si mesmos se atormentaram com muitas dores" (literalmente: "empalaram a si mesmos com muitas dores").

Deus foi além do necessário na Bíblia, para nos alertar misericordiosamente que a idolatria da cobiça é uma situação sem ganhos. É um beco sem saída, no pior sentido da palavra. É um truque e uma armadilha. Assim, a minha palavra para você é a palavra de 1 Timóteo 6:11: Fuja dela. Quando você a vir chegando (em um anúncio de televisão ou um catálogo de Natal ou um *pop-up* na internet ou em uma aquisição de um vizinho), corra dela da forma como você correria de um leão faminto rugindo, que escapou do zoológico. Mas para onde correr?

A Espada que Mata a Cobiça

Você corre para o arsenal de fé, e rapidamente toma o manto de oração do Salmo 119:36, e o coloca em torno de si: "[Ó

Senhor], *inclina-me o coração* aos teus testemunhos e não à cobiça". Em outras palavras, "Conceda-me a graça futura de ter fortes influências sobre o meu coração, que me deem um apetite pela sua verdade que quebra o poder do meu apetite pelas coisas". Sem a graça futura de Deus, os nossos corações perseguirão o dinheiro. Devemos orar para que ele incline os nossos corações à sua Palavra, onde o triunfo sobre a cobiça é prometido.

Depois de colocar esse manto de oração, devemos, então, tomar rapidamente as duas espadas do arsenal da Palavra de Deus: uma curta e uma longa, especialmente feitas pelo Espírito Santo para matar a cobiça. E nós temos que resistir ao ataque na porta. Quando o leão da cobiça mostra a sua face mortífera, nós lhe mostraremos a espada mais curta, ou seja, 1 Timóteo 6:6: "Mas é grande ganho a piedade com contentamento"(NVI).

Pregamos isso às nossas almas e a impelimos contra a ganância que ataca. "GRANDE GANHO! Grande ganho é a piedade com contentamento! Fique onde está, leão da cobiça. Tenho um grande ganho, quando descanso contente em Deus. Ele é o meu tesouro agora, e ele será até o fim. Essa é a minha fé na graça futura. Vá embora"!

Então, se o leão persistir, você toma a espada mais longa (Hebreus 13:5-6, NVI), "Conservem-se *livres do amor ao dinheiro e contentem-se* com o que vocês têm, porque Deus mesmo disse: 'Nunca o deixarei, nunca o abandonarei'. Podemos, pois, dizer com confiança: 'O Senhor é o meu ajudador, não temerei. O que me podem fazer os homens'"? Confiando nessa promessa totalmente satisfatória de graça futura, você atravessa a espada no peito do leão da ganância. Você faz exatamente o que Paulo diz em Colossenses 3:5: "Mate a cobiça".

Irmãos e irmãs, toda cobiça é incredulidade na graça futura. Aprenda comigo, ó, aprenda comigo a como usar a espada do Espírito para combater o bom combate da fé e lançar mão da graça futura da vida eterna!

*Não vos vingueis a vós mesmos, amados,
mas dai lugar à ira;
porque está escrito:
A mim me pertence a vingança; eu é que retribuirei,
diz o Senhor.*
Romanos 12:19

*Não podemos ignorar os atos imprudentes de outras pessoas,
no entanto, não podemos executar a penalidade da lei.
Não temos direito algum de completar o ciclo moral ....
Apesar de não sentirmos nenhuma inibição espiritual contra
clamar contra a injustiça,
a pureza da nossa vida moral se deteriora no momento
em que tentamos administrar a justiça.*
Edward John Carnell

O fôlego sombrio da amargura – de curto ou longo prazo – não pode sobreviver aos caminhos elevados da fé na graça futura. Rancores exigem os vapores da autopiedade, e medo, e vazio. Eles não podem sobreviver ao contentamento, e confiança, e plenitude da alegria que vêm da satisfação no Deus perdoador da graça futura.

Capítulo Seis

Lutando Contra a Amargura

E Quanto à Fé na Justiça Futura?

É o juízo de Deus sobre os nossos inimigos um ato de graça futura para nós? Essa é uma questão crucial, pois o ponto deste livro é ajudar-nos a lutar contra a incredulidade e derrotar o pecado pela fé na graça futura. O que eu encontro no Novo Testamento é que uma forma poderosa de superar a amargura e a vingança é ter fé na promessa de que Deus acertará as contas com nossos ofensores, de modo que nós não precisemos. O Novo Testamento ensina que somos libertos da vingança ao acreditar que Deus se vingará por nós, se for necessário. Então, a minha pergunta é esta: acreditar na vingança de Deus é um exemplo de fé na *graça* futura ou é apenas fé na *justiça* futura? Minha resposta é que a fé no julgamento de Deus é outra forma de fé na graça futura. Portanto, viver pela fé na graça futura envolve a superação da vingança e da amargura, ao confiar em Deus para acertar todas as nossas contas com justiça.

Pondere comigo, por um instante, sobre a promessa de Deus de justiça futura. Em Apocalipse 18, há uma descrição do julgamento de Deus sobre os poderes anticristãos do mundo. Esses poderes são chamados, algumas vezes, de "Babilônia", para mostrar a sua animosidade para com o povo de Deus e, por vezes, chamado de "a grande meretriz", para mostrar a sua imoralidade. Aqui está uma grande tentação para amargura e ira cristã. Esses inimigos desprezaram as leis de Deus em imoralidade e derramaram o sangue de cristãos. Além disso, eles são impenitentes ao extremo. No livro de Apocalipse, João diz: "E nela [Babilônia] se achou sangue de profetas, de santos". Ela é "a grande meretriz que corrompia a terra com a sua prostituição e das mãos dela vingou o sangue dos seus servos" (Apocalipse 18:24, 19:2). Como os cristãos devem responder a essa imoralidade e perseguição?

O mandamento de Jesus, nesse mundo, é: "Amai os vossos inimigos e orai pelos que vos perseguem" (Mateus 5:44). A razão pela qual Jesus dá esse mandamento é "para que vos torneis filhos do vosso Pai celeste, porque ele faz nascer o seu sol sobre maus e bons" (Mateus 5:45). Enquanto a vida perdura nesta era, Deus dá muitas bênçãos àqueles que são imorais e cruéis. Paulo disse aos gentios que nunca haviam ouvido falar do verdadeiro Deus, "[Deus] não se deixou ficar sem testemunho de si mesmo, fazendo o bem, dando-vos do céu chuvas e estações frutíferas, enchendo o vosso coração de fartura e de alegria (Atos 14:17). Em tudo isso, Deus está mostrando imerecida "bondade, e tolerância, e longanimidade", que devem conduzir as nações ao arrependimento (Romanos 2:4). Jesus nos ordena que imitemos nosso Pai nestas coisas: "Amai, porém, os vossos inimigos, fazei o bem e emprestai, sem esperar nenhuma paga; será grande o vosso galardão, e sereis filhos do Altíssimo. Pois ele é benigno até para com os ingratos e maus. Sede misericordiosos, como também é misericordioso vosso Pai" (Lucas 6:35-36).

De fato, enquanto há esperança pela conversão deles, devemos ter o mesmo sentimento do apóstolo Paulo: "A boa vontade do meu coração e a minha súplica a Deus a favor deles são para que sejam salvos" (Romanos 10:1). Se formos perseguidos como cristãos, devemos dar a outra face (Mateus 5:39), e abençoar aqueles que nos amaldiçoam (Lucas 6:28), e não retribuir o mal com o mal (1 Tessalonicenses 5:15; 1 Pedro 3:9), mas, se possível, viver em paz com todos (Romanos 12:17-18).

Juízo Futuro também é Graça Futura

Mas chegará o momento em que a paciência de Deus acabará. Quando Deus tiver visto o seu povo sofrer pelo tempo designado, e o número determinado de mártires estiver completo (Apocalipse 6:11), então a vingança virá do céu. Paulo a descreve dessa forma: "É justo para com Deus que ele dê em paga tribulação aos que vos atribulam e a vós outros, que sois atribulados, alívio juntamente conosco, quando do céu se manifestar o Senhor Jesus com os anjos do seu poder, em chama de fogo, tomando vingança contra os que não conhecem a Deus e contra os que não obedecem ao evangelho de nosso Senhor Jesus" (2 Tessalonicenses 1:6-8). Perceba que a vingança de Deus sobre os nossos ofensores é experimentada por nós como um "alívio". Em outras palavras, o juízo sobre "aqueles que nos atribulam" é uma forma de *graça* para nós.

Jesus ensinou uma verdade similar na parábola do juiz iníquo. Ele contou a história de uma viúva "que vinha ter com ele, dizendo: Julga a minha causa contra o meu adversário" (Lucas 18:3). Finalmente, o juiz cedeu e lhe deu o que ela precisava. Jesus interpreta a história: "Não fará Deus justiça aos seus escolhidos, que a ele clamam dia e noite, embora pareça demorado em defendê-los? Digo-vos que, depressa, lhes fará justiça" (Lucas 18:7-8). Então, novamente, a justiça futura de Deus para com os adversários de seu povo é retratada como um alívio – como o alívio de uma viúva em aflição. A justiça futura para os inimigos de Deus é retratada como *graça futura* para o povo de Deus.

Talvez a imagem mais marcante do juízo como graça seja a imagem da destruição da Babilônia, em Apocalipse 18. Em sua destruição, uma grande voz do céu clama, "*Exultai sobre ela,* ó céus, e vós, santos, apóstolos e profetas, porque Deus contra ela julgou a vossa causa" (Apocalipse 18:20). Em seguida, ouve-se uma grande multidão dizer: "*Aleluia*! A salvação, e a glória, e o poder são do nosso Deus, porquanto verdadeiros e justos são os seus juízos, pois julgou a grande meretriz que corrompia a terra com a sua prostituição e das mãos dela vingou o sangue dos seus servos" (Apocalipse 19:1-2).

Quando a paciência de Deus tiver terminado de percorrer o seu curso de tolerância, e esta era terminar, e o juízo vier sobre os inimigos do povo de Deus, os santos não reprovarão a justiça de Deus. Eles não clamarão contra ele. Pelo contrário, o apóstolo João os chama a "exultar" e a gritar: "Aleluia"! Isso significa que a destruição final do impenitente não será experimentada como uma angústia pelo povo de Deus. A indisposição dos outros ao arrependimento não tomará as afeições dos santos como refém. O inferno não será capaz de chantagear o céu à angústia. O julgamento de Deus será aprovado e os santos experimentarão a reivindicação da verdade como uma grande graça.

Há duzentos e cinquenta anos, Jonathan Edwards comentou sobre Apocalipse 18:20 com estas palavras: "Na verdade, [os santos] não são chamados a alegrar-se em ter a sua vingança saciada, mas em ver a justiça executada, e em ver o amor e a ternura de Deus para com eles, manifestada em sua severidade para com os seus inimigos".[26] Isso é o que está salientado em Apocalipse 19:2: "Verdadeiros e justos são os seus juízos". Assim, a resposta de Edwards à nossa pergunta é que o juízo final de Deus é realmente uma *graça futura* para o povo de Deus. Ele diz: "Muitas vezes, é mencionado nas Escrituras, como um exemplo do grande amor de Deus para com o seu povo, que a sua ira é desperta dessa forma, quando eles são injustiçados e feridos. Assim, Cristo prometeu ... 'qualquer, porém, que fizer tropeçar a um destes pequeninos que creem em mim, melhor lhe fora que se lhe pendurasse ao pescoço uma grande pedra de moinho, e fosse afogado na profundeza do mar'" (Mateus 18:6).[27]

Promessa: A Vingança é minha, eu retribuirei

Essa graça futura do juízo de Deus nos é prometida como um meio de ajudar-nos a superar o espírito de vingança e amargura. Por exemplo, em Romanos 12:19-20, Paulo diz: "Não vos vingueis a vós mesmos, amados, mas dai lugar à ira; porque está escrito: A mim me pertence a vingança; eu é que retribuirei, diz o Senhor. Pelo contrário, se o teu inimigo tiver fome, dá-lhe de comer; se tiver sede, dá-lhe de beber; porque, fazendo isto, amontoarás brasas vivas sobre a sua cabeça".

O argumento de Paulo é que não devemos fazer vingança, pois a vingança pertence ao Senhor. E para nos motivar a deixar de lado os nossos desejos de vingança, ele nos dá uma promessa

– que agora sabemos ser uma promessa de graça futura – "eu é que retribuirei, diz o Senhor". A promessa que nos liberta de um espírito implacável, amargo e vingativo é a promessa de que Deus acertará as nossas contas. Ele fará isso de forma mais justa e mais completa do que jamais poderíamos. Portanto, podemos recuar e deixar espaço para Deus trabalhar.

É Errado Querer que a Justiça Seja Feita?

Por que essa é uma promessa tão crucial na superação da nossa inclinação à amargura e vingança? A razão é que essa promessa responde a um dos impulsos mais poderosos por trás da ira – um impulso que não está inteiramente errado.

Eu posso ilustrar com uma experiência que tive no meu tempo de seminário. Eu estava em um pequeno grupo de casais que começou a se relacionar em um nível pessoal bastante profundo. Certa noite, estávamos discutindo sobre o perdão e a ira. Uma das jovens esposas disse que ela não conseguia e não perdoaria a mãe por algo que ela lhe havia feito quando era uma moça. Nós falamos sobre alguns dos mandamentos e advertências bíblicos relativos a um espírito implacável. "Sede uns para com os outros benignos, compassivos, perdoando-vos uns aos outros, como também Deus, em Cristo, vos perdoou" (Efésios 4:32). "Se, porém, não perdoardes aos homens [as suas ofensas], tampouco vosso Pai vos perdoará as vossas ofensas" (Mateus 6:15, veja também 18:34-35; Marcos 11:25; Lucas 17:4; 2 Coríntios 2:7). Mas ela não se movia. Eu avisei a ela que a sua alma estava em perigo, se continuasse com essa atitude de amargura implacável. Mas ela estava convencida de que não perdoaria a sua mãe.

O que dá tanta força ao impulso da ira, nesses casos, é a imensa sensação de que o ofensor não *merece* perdão. Ou seja, a ofensa é tão profunda e tão justificável que não só a autojustiça fortalece a nossa indignação, mas também um senso legítimo de afronta moral. É o profundo senso de legitimidade que dá à nossa amargura a sua compulsão inflexível. Nós sentimos que um grande crime seria cometido, se a magnitude do mal que experimentamos fosse simplesmente esquecida e deixada no passado. Estamos divididos: Nosso senso moral diz que esse mal não pode ser ignorado, e a Palavra de Deus diz que devemos perdoar.

Se Você Guarda Rancor, Você Duvida do Juiz

Em seu livro perspicaz, *Christian Commitment* [Compromisso Cristão], Edward John Carnell descreveu esse conflito entre a afronta moral e o perdão como "difícil situação judicial". Ele disse: "Não podemos ignorar os atos imprudentes de outras pessoas, no entanto, não podemos executar a penalidade da lei. Não temos direito algum de completar o ciclo moral.... Apesar de não sentirmos nenhuma inibição espiritual contra clamar contra a injustiça, a pureza da nossa vida moral se deteriora no momento em que tentamos administrar a justiça".[28] No entanto, a indignação que sentimos geralmente nos controla e se apega à ofensa, porque seria moralmente repugnante proceder de forma leviana com o erro.

Agora podemos ver por que a promessa bíblica do juízo de Deus é tão crucial para ajudar a vencer esse desejo de vingança. Ela nos mostra uma saída da "difícil situação judicial". Deus intervém como vingador, para que possamos reconhecer o crime; mas também para que não tenhamos que ser o juiz. A vingança prometida de Deus remove a legitimidade moral do nosso desejo pessoal por retaliação. A promessa de Deus diz: "Sim, uma afronta foi cometida contra você. Sim, ela merece ser severamente punida. Sim, a pessoa ainda não experimentou essa punição. Mas, não, você não pode ser o executor da punição, e você não pode continuar nutrindo essa retribuição pessoal. Por quê? Porque Deus fará com que a justiça seja feita. Deus retribuirá. Você não pode melhorar a justiça dele. Ele enxerga cada aspecto do mal feito contra você – muito melhor do que você consegue enxergar. A justiça dele será mais completa do que qualquer justiça que você possa administrar". Se você guarda rancor, você duvida do Juiz.

Isso é o que a promessa de Romanos 12:19 diz. E a pergunta à pessoa ofendida e irada passa a ser: "Você crê nesta promessa"? Em outras palavras, a questão de abrir mão da mágoa é uma questão de *fé* nas promessas da graça futura de Deus – a graça futura de juízo sobre o ofensor. Se crermos na promessa de Deus: "Minha é a vingança, eu retribuirei", então não menosprezaremos a Deus com nossos esforços inferiores para melhorar a sua justiça. Vamos deixar o assunto com ele e viver na liberdade do amor para com nosso inimigo – quer ele se arrependa ou não. E se ele não se arrepender? E então? Há trezentos anos, Thomas Watson disse muito bem: "Nós não somos obrigados a confiar em um inimigo; mas somos obrigados a perdoá-lo".[29] Não somos responsáveis por fazer com que a reconciliação aconteça. Somos responsáveis por buscá-la. "Quanto depender de vós, tende paz com todos os homens" (Romanos 12:18).

Como Jesus Solucionou a "Difícil Situação Judicial"

O apóstolo Pedro mostra que o próprio Jesus lidou com a "difícil situação judicial" da mesma maneira. Nunca se pecou mais gravemente contra alguém do que contra Jesus. Cada porção de animosidade contra ele foi totalmente imerecida. Jamais viveu alguém que fosse mais digno de honra do que Jesus; e ninguém foi mais desonrado. Se alguém tinha o direito de ficar irado e ser amargo e vingativo, era Jesus. Como ele se controlou quando patifes, cujas próprias vidas ele sustentava, cuspiram-lhe na face?

Pedro dá a resposta nestas palavras: "[Jesus] não cometeu pecado, nem dolo algum se achou em sua boca; pois ele, quando ultrajado, não revidava com ultraje; quando maltratado, não fazia ameaças, *mas entregava-se*[30] àquele que julga retamente (1 Pedro 2:22-23). O que isso quer dizer é que Jesus tinha fé na graça futura do justo juízo de Deus. Ele não tinha a necessidade de se vingar por todas as humilhações que sofreu, pois ele confiou sua causa a Deus. Ele deixou a vingança nas mãos de Deus e orou pelo arrependimento de seus inimigos (Lucas 23:34).

Pedro apresenta esse vislumbre da fé de Jesus, para que nós mesmos possamos aprender a viver dessa maneira. Ele disse: "Fostes chamados [para suportar pacientemente o árduo tratamento], pois que também Cristo sofreu em vosso lugar, deixando-vos exemplo para seguirdes os seus passos" (1 Pedro 2:21). Se Cristo venceu a amargura e a vingança pela fé na graça futura, quanto mais devemos nós, pois temos muito menos direito a murmurar por sermos maltratados do que ele tinha.

A Base Para Perdoar Outros Cristãos

Mas agora surge outra questão crucial. Se a promessa do julgamento de Deus é a base para abrir mão do rancor contra os inimigos impenitentes, qual é a base para abrirmos mão dos nossos ressentimentos contra irmãos e irmãs cristãos que se arrependem?

Nossa indignação moral a uma terrível ofensa não evapora, apenas porque o ofensor é um cristão. Na verdade, podemos nos sentir ainda mais traídos. E um simples "desculpe", muitas vezes, parece totalmente desproporcional à dor e feiura do delito.

Mas, nesse caso, estamos lidando com outros cristãos, e a promessa da ira de Deus não se aplica porque "nenhuma condenação há para os que estão em Cristo Jesus" (Romanos 8:1). "Deus não nos [cristãos] destinou para a ira, mas para alcançar a salvação mediante nosso Senhor Jesus Cristo" (1 Tessalonicenses 5:9). Então, agora, para onde é que olhamos para escapar da "difícil situação judicial"? Aonde devemos ir para nos assegurar de que a justiça será feita – que o cristianismo não é uma zombaria da gravidade do pecado?

A resposta é que nós olhamos para a cruz de Cristo. Todos os erros que foram cometidos contra nós por *crentes* foram vingados na morte de Jesus. Isso está implícito no fato simples, mas impressionante de que *todos* os pecados de todo o povo de Deus foram colocados sobre Jesus (Isaías 53:6; 1 Coríntios 15:3; Gálatas 1:4; 1 João 2:2, 4:10; 1 Pedro 2:24, 3:18). O sofrimento de Cristo foi a recompensa de Deus sobre cada dor que eu já recebi de um companheiro cristão (Romanos 4:25, 8:3; 2 Coríntios 5:21; Gálatas 3:13). Portanto, o Cristianismo não trata o pecado com leviandade. Não adiciona insulto à nossa ferida. Pelo contrário, leva os pecados contra nós tão a sério que, para fazê-los direito, Deus deu o seu próprio Filho para sofrer mais do que jamais poderíamos fazer alguém sofrer por aquilo que fizeram a nós.

Portanto, quando Deus diz: "Minha é a vingança", o significado é mais do que podemos ter pensado. Deus compromete-se à vingança contra o pecado, não apenas por meio do inferno, mas também por meio da cruz. Todo pecado será vingado – severamente, completamente e com justiça. Ou no inferno, ou na cruz. Os pecados do impenitente serão vingados no inferno; os pecados dos arrependidos foram vingados na cruz.

O que isso significa é que não temos nenhuma necessidade ou direito de guardar amargura para com crentes ou descrentes. A difícil situação judicial está quebrada. Deus interveio para nos livrar da exigência moral de reparar as injustiças que suportamos. Ele fez isso, em grande medida, com a promessa: "Minha é a vingança; eu retribuirei". Se crermos nele, não nos atreveremos a fazer vingança pelas nossas próprias mãos. Em vez disso, glorificaremos a suficiência da cruz e a terrível justiça do inferno, ao viver na certeza de que Deus, e não nós, reparará todos os erros. A nós nos cabe amar. A Deus cabe acertar as contas com justiça. E a fé na graça futura é a chave para a liberdade e o perdão.

Graça Passada: Necessária, Mas Não Suficiente

A cruz está no passado. E eu estou ansioso para afirmar que olhar para o Calvário é absolutamente crucial para a manutenção da nossa fé na graça futura. Se a minha esposa me fere com uma palavra indelicada, eu não preciso ter a última palavra. Eu não preciso ficar quite, porque o pecado dela foi colocado sobre Jesus, e ele sofreu terrivelmente para suportá-lo para ela – e para mim. Jesus levou essa ofensa contra si e contra mim tão a sério, que ele morreu para expor esse mal e remover a culpa da minha esposa. Se isso for para me libertar de guardar rancor, devo olhar para trás e acreditar que isso é o que aconteceu na cruz. Olhar para trás é essencial. O ponto deste livro – lutar contra a incredulidade e viver pela fé na graça futura – não anula isso.

Mas apenas olhar para trás não é suficiente. O que Jesus realizou na cruz dura para sempre. Devo ter certeza disso. A graça do Calvário, que consumiu os pecados cometidos contra mim, também é a graça futura que mantém a mim e à minha esposa em Cristo, de forma que a cruz é eficaz para nós. É a graça futura que promete a mim e à minha esposa que, se confessarmos os nossos pecados, Deus é fiel e justo para perdoar os nossos pecados (1 João 1:9). Em outras palavras, a graça passada da cruz expiatória terá que ser repetidamente apropriada pela confissão futura. E isso é assegurado apenas pela graça futura.

O Poder do Perdão de Deus

Claro que, qualquer um que conhece a mim e a minha esposa sabe que é mais provável que eu serei aquele que precisará do perdão dela com mais frequência, do que ela precisará do meu. Eu sou o que tem a língua rápida e não guardada. É por isso que a Bíblia não fala somente de Deus ser o vingador dos pecados cometidos contra nós, mas também fala de Deus sendo o perdoador dos pecados que cometemos contra os outros. Isso também é fundamental para quebrar o cativeiro da amargura e nos libertar para perdoar.

Paulo diz: "Sede uns para com os outros benignos, compassivos, *perdoando-vos uns aos outros, como também Deus, em Cristo, vos perdoou*. Sede, pois, imitadores de Deus, como filhos amados; e andai em amor, como também Cristo nos amou e se entregou a si mesmo por nós" (Efésios 4:32-5:2). Aqui, o poder de perdoar está fluindo não de como Deus lida com os pecados cometidos contra mim, mas de como Deus lida com os pecados que eu cometo contra os outros.

A luta contra a amargura é travada não apenas por confiar na promessa de Deus de vingar as injustiças cometidas contra nós; ela também é travada por acalentar a experiência de ser perdoado por Deus. Como é que ser perdoado nos torna pessoas capazes de perdoar? Eu respondo: pela *fé* em sermos perdoados. Por *crer* que somos perdoados. Mas há algo desconcertante aqui. Aquela mulher que estava no pequeno grupo comigo, no meu tempo de seminário, não perdoava a sua mãe, mas acreditava veementemente que ela havia sido perdoada. Ela não deixaria o pecado do seu rancor abalar a sua segurança. Será, então, que a fé em ser perdoado realmente nos liberta de rancores?

O que está errado aqui? O que está errado é que ela estava aparentemente perdendo a essência da verdadeira fé salvadora – eu digo isso com tremor. A fé salvadora não é apenas crer *que* você está perdoado. A fé salvadora significa saborear este perdão como parte do modo como Deus é, e experimentá-lo (e a ele!) como precioso e magnífico. A fé salvadora olha para o horror do pecado e, em seguida, olha para a santidade de Deus e apreende, espiritualmente, que o perdão de Deus é indescritivelmente glorioso. A fé no perdão de Deus não significa apenas uma convicção de que eu estou fora de perigo. Significa saborear a verdade de que um Deus que perdoa é a realidade mais preciosa no universo. É por isso que eu usei a palavra "acalentar". A fé salvadora acalenta ser perdoado por Deus e, a partir dela, levanta-se para acalentar o Deus que perdoa – e tudo o que ele é para nós em Jesus.

Novamente, vemos que apenas olhar para trás é insuficiente. O grande ato de perdão é passado – a cruz de Cristo. Por olhar para trás, conhecemos a graça em que sempre estamos firmes (Romanos 5:2). Aprendemos que agora somos, e sempre seremos, amados e aceitos. Aprendemos que o Deus vivo é um Deus perdoador. Mas a grande experiência de ser completamente perdoado é toda futura. A comunhão com o grande Deus que perdoa é toda futura. A liberdade para o perdão fluindo a partir dessa comunhão totalmente satisfatória com o Deus que perdoa é toda futura.

Aprendi que é possível continuar guardando rancor, se a sua fé significa simplesmente que você olhou para trás na cruz e concluiu que está fora de perigo. Eu fui forçado a ir mais fundo no que é a verdadeira fé. É estar satisfeito com tudo o que Deus é para nós, em Jesus. É olhar para trás, não apenas para descobrir que está fora de perigo, mas para ver e saborear o tipo de Deus que nos oferece um futuro de infinitos amanhãs reconciliados, em comunhão com ele.

Pode ser que, enquanto você lê isso, nenhum ressentimento de longo prazo venha à sua mente. Talvez Deus tenha notavelmente libertado você de velhas mágoas e decepções e lhe dado a graça de colocá-las de lado. Mas certifique-se de testar a si mesmo sobre a ira de curto prazo também. Será que existem frustrações presentes repetidas, que podem não ter característica de amargura em longo prazo, mas são como reaparições crônicas da mesma ira de curto prazo? Será que existem traços de seus filhos, ou de seu cônjuge, ou de sua igreja, ou de seu chefe que, semana após semana, provocam-no tão profundamente que você range os dentes e ensaia em sua cabeça todas as razões pelas quais isso é intolerável e não deveria continuar? Minha experiência tem mostrado que há tanta luta contra a incredulidade nessas frustrações recorrentes de curto prazo, quanto na amargura de longo prazo por um grande abuso ou traição. Aqui também precisamos confiar nas promessas de Deus de uma maneira prática e diária.

O fôlego sombrio da amargura – de curto ou longo prazo – não pode sobreviver aos caminhos elevados da fé na graça futura. Rancores exigem os vapores da autopiedade, e medo, e vazio. Eles não podem sobreviver ao contentamento, e confiança, e plenitude da alegria que vêm da satisfação no Deus perdoador da graça futura.

*A maior necessidade do momento
é uma igreja reavivada e alegre .... Cristãos infelizes são,
para dizer o mínimo, uma pobre recomendação
da fé cristã.*
Martyn Lloyd-Jones

*Por que estás abatida, ó minha alma?
Por que te perturbas dentro de mim?
Espera em Deus,
pois ainda o louvarei, a ele,
meu auxílio e Deus meu.*
Salmo 42:5

*Porque não passa de um momento a sua ira;
o seu favor dura a vida inteira.
Ao anoitecer, pode vir o choro,
mas a alegria vem pela manhã.*
Salmo 30:5

Capítulo Sete

LUTANDO CONTRA O ABATIMENTO

Abatimento não é uma palavra comum, hoje em dia. Mas eu acho que ela capta o que quero dizer. Não é *depressão* por si só, porque depressão tem a conotação de uma condição clínica, em nossos dias. Mas é mais do que simplesmente ter um dia ruim e sentir-se temporariamente melancólico à noite. Entre esses dois existe um terreno amplo de infelicidade, onde muitos cristãos vivem suas vidas. Sob muito dessa experiência está a incredulidade na graça futura de Deus e o seu fundamento na pessoa e obra de Cristo. É contra essa incredulidade que eu gostaria de nos ajudar a batalhar, neste capítulo.[31]

Um Doutor das Almas

Em 1954, um dos meus heróis, Martyn Lloyd-Jones, pregou uma série de sermões na Capela de Westminster, em

Londres, os quais ele publicou mais tarde em um livro chamado *Depressão Espiritual*. A sua avaliação da igreja, em meados do século vinte, ainda é válida, até onde eu consigo enxergar. Ele disse: "Eu não tenho nenhuma hesitação em afirmar, mais uma vez, que uma das razões pelas quais a Igreja Cristã faz tão pouca diferença no mundo moderno é que muitos cristãos estão nessa condição [de depressão espiritual]".[32] "A maior necessidade do momento é uma igreja reavivada e alegre .... Cristãos infelizes são, para dizer o mínimo, uma pobre recomendação da fé cristã".[33]

Lloyd-Jones era um médico respeitado, antes de se tornar um pregador. Isso dá um peso especial às suas observações sobre as causas dos sentimentos de abatimento que afligem tantos cristãos. Ele não é ingênuo sobre a complexidade do que causa o abatimento. Por exemplo, ele diz: "Há certas pessoas que são mais propensas à depressão, em um sentido natural, do que outras .... Embora sejamos convertidos e regenerados, a nossa personalidade fundamental não é alterada. O resultado é que a pessoa que está mais dada à depressão do que outra, antes da conversão, ainda terá que lutar contra isso após a conversão".[34]

A Linhagem da Depressão

Há muitos exemplos dolorosos dela, na história da igreja. Um dos mais pungentes é a história de David Brainerd, o jovem missionário entre os índios da Nova Inglaterra, no século dezoito. Parece ter havido uma linhagem incomum de fraqueza e depressão em sua família. Não apenas os seus pais morreram cedo, mas o irmão de David, Neemias, morreu aos 32 anos, seu irmão Israel morreu aos 23, sua irmã Jerusha morreu aos 34, e ele morreu aos

29. Em 1865, um descendente, Thomas Brainerd, disse: "Em toda a família Brainerd, por duzentos anos, tem havido uma tendência à depressão mórbida, semelhante à hipocondria".[35]

Assim, além de ter um pai austero e sofrer a perda dos pais, sendo uma criança sensível, ele provavelmente herdou algum tipo de tendência à depressão. Seja qual for a causa, ele sofreu da mais negra melancolia, intermitentemente, ao longo de sua curta vida. Ele diz, no início de seu diário: "Eu era, creio eu, desde a minha juventude, algo sóbrio e bastante inclinado à melancolia do que ao outro extremo".[36]

No entanto, ele disse que havia uma diferença entre a depressão que sofria antes e após a sua conversão. Após a conversão, parecia haver uma rocha de amor eletivo sob ele que o segurava, de modo que, em seus tempos mais tenebrosos, ele ainda conseguia afirmar a verdade e a bondade de Deus, mesmo que não pudesse senti-la por um tempo.[37]

O Fardo do Corpo

Não existe apenas a questão de temperamento e personalidade hereditários, mas também há a questão de como as condições físicas afetam um estado de espírito desanimado. Lloyd-Jones diz: "Há muitos, eu acho, que vêm falar comigo sobre essas questões, em cujos casos, parece-me bastante claro que a causa do problema é principalmente física. Dentro deste grupo, de modo geral, você pode colocar o cansaço, a tensão excessiva, a enfermidade, qualquer forma de enfermidade. Você não pode isolar o espiritual do físico, pois somos corpo, mente e espírito".[38] Quando o salmista clamou: "Ainda que a minha carne e o meu coração desfaleçam" (Salmo 73:26), ele estava nos mostrando quão entrelaçados o "coração" e a "carne" estão, no abatimento que ele tantas vezes experimentou.

Charles Haddon Spurgeon é um excelente exemplo de um grande cristão e um grande pregador, cujo abatimento recorrente era quase certamente devido, em grande medida, à sua dolorosa doença de gota. Não é fácil imaginar o Spurgeon eloquente, brilhante, cheio de energia e aparentemente onicompetente, chorando como um bebê sem qualquer motivo que ele pudesse imaginar. Em 1858, com 24 anos, aconteceu pela primeira vez. Ele disse: "O meu espírito estava tão deteriorado que eu poderia chorar por horas como uma criança, e ainda não saber pelo que eu estava chorando".[39] Enquanto os anos passavam, os momentos de melancolia vinham de novo e de novo. Algumas vezes, ele parecia prestes a desistir: "Não pode se argumentar com a depressão sem causa, nem mesmo a harpa de Davi pode afastá-la ao discursar docemente. Da mesma forma que é lutar com a névoa, é lutar com esta desesperança informe, indefinível, e ainda totalmente obscurecedora .... O ferrolho de ferro, que tão misteriosamente prende a porta da esperança e mantém os nossos espíritos na prisão sombria, precisa de uma mão divina para empurrá-lo".[40]

No entanto, ele lutou. Ele viu a sua depressão como a sua "pior característica". "Abatimento", disse ele, "não é uma virtude; eu acredito que seja um vício. Eu estou sinceramente envergonhado de mim mesmo por cair nele, mas estou certo de que não há nenhum remédio para isso como uma fé santa em Deus".[41]

Antes de olharmos para esse remédio mais de perto, mais uma causa complicada deve ser mencionada. Há toda a área de condicionamento familiar. Um pequeno exemplo: se os pais recompensam uma criança por choramingar e cedem à manipulação do mau humor da criança, então, essa criança será treinada que um bom beicinho conseguirá obter piedade. E trinta anos depois, o domínio de seus humores será duas vezes mais difícil.

A Raiz do Abatimento

Qual, então, é a raiz do abatimento? Lloyd-Jones concordaria que é uma simplificação dizer que a única raiz do abatimento seja a incredulidade. Mas seria correto dizer, como Lloyd-Jones diz: "A causa *final* de toda depressão espiritual é a incredulidade".[42] Por exemplo, de onde vem o tipo de criação de filhos que aprova o beicinho? Será que ele vem de uma forte *crença* na Palavra de Deus como o melhor livro sobre criação de filhos? E por que tantas pessoas buscam atividades noturnas que garantem a fatiga que leva ao abatimento, irritabilidade e vulnerabilidade moral? Será que é devido a uma forte *crença* no conselho de Deus para obter um bom descanso (Salmo 127:2), e uma firme *confiança* em seu poder para trabalhar por aqueles que esperam nele (Isaías 64:4; Salmo 37:5)?

E será possível que a pesquisa sobre o cérebro esteja em fase tão inicial que, mesmo que saibamos um pouco sobre como as substâncias químicas podem produzir estados emocionais, não sabemos quase nada sobre as formas como os estados emocionais e espirituais podem produzir substâncias químicas de cura? Alguém poderia contestar a possibilidade de que estar satisfeito com tudo o que Deus é para nós, em Jesus, não tem efeito físico algum sobre a produção de antidepressivos naturais do corpo? Por que não poderíamos supor que o poderoso afeto da fé na graça futura promove até mesmo um meio físico de saúde mental? Minha convicção é de que, quando chegarmos ao céu, aprenderemos algumas coisas surpreendentes sobre a ligação profunda entre a fé sã e mentes sãs.

Podemos dizer, portanto, que as raízes do abatimento não são simples. Elas são complexas. Então, o meu foco neste capítulo é limitado. Sem negar a complexidade de nossas emoções e as suas dimensões hereditárias, físicas e familiares, o que eu quero mostrar é que a incredulidade na graça futura é a raiz do *render-se* ao abatimento. Ou, dito de outra forma: A incredulidade é a raiz de não fazer guerra contra o abatimento com as armas de Deus. A incredulidade permite que o abatimento siga o seu curso, sem uma luta espiritual.

Lloyd-Jones disse que, se somos pessoas convertidas com uma inclinação para o abatimento, "ainda teremos que *lutar* contra ele após a conversão". É sobre a *luta* que estamos falando neste capítulo, não sobre o ataque de melancolia que exige a luta. Deixe-me ilustrar isso a partir dos Salmos e, em seguida, a partir do tipo de desânimo com o qual Jesus teve que lidar.

Quando o Coração do Salmista Fraqueja

No Salmo 73:26, o salmista diz: "O meu corpo e o meu coração poderão fraquejar" (NVI). Literalmente, o verbo é simplesmente: "O meu corpo e o meu coração *fraquejam*"! Estou abatido! Estou desanimado! Mas, imediatamente, ele dispara suas armas contra o desânimo: "Mas Deus é a força do meu coração e a minha herança para sempre". O salmista não se rende. Ele luta contra a incredulidade com um contra-ataque.

Em essência, ele diz: "Em mim mesmo, eu me sinto muito fraco e impotente, e incapaz de lidar com isso. Meu corpo está baleado e o meu coração está quase morto. Mas, qualquer que seja a razão para este abatimento, eu não cederei. Eu confiarei em Deus e não em mim. Ele é a minha força e a minha herança".

A Bíblia está repleta de exemplos de santos que lutam com os espíritos abatidos. O Salmo 19:7 diz: "A lei do SENHOR é perfeita e *revigora a alma*" (NVI). Essa é uma clara admissão de que a alma do santo, às vezes, precisa ser revigorada. E, se ela precisa ser revigorada, em certo sentido, ela estava "morta". Davi diz a mesma coisa, no Salmo 23:2-3: "Leva-me para junto das águas de descanso; *refrigera-me a alma*". A alma do "homem segundo o coração [de Deus]" (1 Samuel 13:14) precisa ser restaurada. Ele estava sedento e prestes a cair em exaustão, mas Deus conduziu sua alma à água, e deu-lhe vida novamente.

Deus colocou esses testemunhos na Bíblia, para que possamos usá-los para combater a incredulidade do abatimento. De onde quer que o abatimento venha, Satanás o pinta com uma mentira. A mentira diz: "É isso. Você nunca será feliz novamente. Você nunca será forte novamente. Você nunca terá o vigor e a determinação de novo. Sua vida nunca mais terá um propósito. Não há manhã após esta noite. Nenhuma alegria após o choro. Tudo está repleto de melancolia, mais e mais sombrio. Isso não é um túnel, é uma caverna, uma caverna sem fim".

É com essa cor que Satanás pinta o nosso abatimento. E Deus teceu a sua Palavra com fios de verdade, diretamente oposta a essa mentira. A lei de Deus, que agora se cumpre em Jesus, *realmente* revigora (Salmo 19:7). Deus *realmente* leva a fontes de água (Salmo 23:3). Deus *realmente* nos mostra o caminho da vida (Salmo 16:11). A alegria *realmente* vem com a manhã (Salmo 30:5). Assim, os salmos ilustram para nós a verdade de que a incredulidade é a raiz do render-se ao abatimento; mas a fé na graça futura toma as promessas de Deus e as lança contra o abatimento. "Deus é a força do meu coração e a minha herança para sempre" (Salmo 73:26).

Aprendendo a Pregar a Nós Mesmos

Precisamos aprender a lutar contra o abatimento. A luta é uma luta de fé na graça futura. Ela é combatida por pregar a verdade para nós mesmos a respeito de Deus e o seu futuro prometido. Isso é o que o salmista faz no Salmo 42. "As minhas lágrimas têm sido o meu alimento dia e noite, enquanto me dizem continuamente: O teu Deus, onde está? ... Por que estás abatida, ó minha alma? Por que te perturbas dentro de mim? Espera em Deus, pois ainda o louvarei, a ele, meu auxílio e Deus meu" (Salmo 42:3,5). O salmista prega à sua alma perturbada. Ele se repreende e discute consigo mesmo. E seu principal argumento é a graça futura: "*Espera* em Deus! – Confia no que Deus será para você no futuro. Um dia de louvor está chegando. A presença do Senhor é a única ajuda que você precisa. E ele prometeu estar conosco para sempre" (veja Salmo 23:4,6).

Lloyd-Jones acredita que essa questão de pregar a verdade a nós mesmos, sobre a graça futura de Deus, é muito importante para superar a depressão espiritual.

> Eu digo que devemos falar para nós mesmos, em vez de permitir que "o nosso eu" fale conosco! Você percebe o que isso significa? Eu sugiro que o principal problema em toda essa questão da depressão espiritual, em um sentido, é este, que nós permitimos que o nosso eu fale conosco, em vez de falarmos com o nosso eu. Será que eu estou apenas tentando ser deliberadamente parado-

xal? Você já percebeu que a maioria da sua infelicidade na vida é devido ao fato de que você está ouvindo a si mesmo, em vez de falar para si mesmo? Tire esses pensamentos que vêm até você no momento em que acordar de manhã. Você não lhes deu origem, mas eles começam a falar com você, eles trazem de volta os problemas de ontem, etc. Alguém está falando. Quem está falando com você? O seu eu está falando com você. Agora, o tratamento [do salmista] foi este; em vez de permitir que o seu eu fale com ele, ele começa a falar para si mesmo. "Por que estás abatida, ó minha alma?", ele pergunta. Sua alma estava pressionando-o, esmagando-o. Então, ele se levanta e diz: "Eu, escute por um momento, eu falarei com você.... Por que estás abatido? – Que negócio você tem para estar inquieto?... E então, você deve continuar lembrando-se a si mesmo de Deus, de quem ele é, e do que Deus é, e do que Deus fez, e do que Deus se comprometeu a fazer. Tendo feito isso, acrescente esta grande nota: desafie a si mesmo, e desafie outras pessoas, e desafie o diabo, e todo o mundo, e diga juntamente com este homem: "Ainda o louvarei, a ele, meu auxílio e Deus meu".[43]

A batalha contra o abatimento é uma batalha para crer nas promessas de Deus. E essa crença na graça futura de Deus vem pelo ouvir a Palavra. Assim, pregar a nós mesmos é o coração da batalha. Mas volto a salientar que a questão neste capítulo não é, principalmente, como evitar o abatimento, mas como combatê-lo quando ele vier. Se observarmos o exemplo de Jesus, veremos que até mesmo o Filho de Deus sem pecado conheceu e lutou contra esse inimigo.

Quando Jesus Encontrou o Inimigo Abatimento

Na noite em que Jesus foi traído, ele lutou algumas batalhas espirituais profundas. O que estava acontecendo naquela noite, na véspera de nossa redenção eterna, era uma guerra espiritual horrível. Satanás e todas as suas hostes mais fortes foram reunidas para lutar contra o Filho de Deus. E o que quer que Paulo queira dizer com "os dardos inflamados do maligno" (Efésios 6:16), você pode ter certeza de que eles estavam voando em bandos contra o coração de Jesus no Getsêmani, naquela noite.

Temos um vislumbre da batalha, em Mateus 26:36-38:

> Em seguida, foi Jesus com eles a um lugar chamado Getsêmani e disse a seus discípulos: Assentai-vos aqui, enquanto eu vou ali orar; e, levando consigo a Pedro e aos dois filhos de Zebedeu, começou a *entristecer-se e a angustiar-se*. Então, lhes disse: *A minha alma está profundamente triste até à morte*; ficai aqui e vigiai comigo.

O que está acontecendo aqui? Com o que Jesus está angustiado? João 12:27 diz: "Agora, está angustiada a minha alma, e que direi eu? Pai, salva-me desta hora? Mas, precisamente com este propósito vim para esta hora". Em outras palavras, a tentação *angustiante e preocupante* era a de desesperar-se e deixar de realizar a sua missão. Os dardos inflamados que vinham contra ele eram pensamentos – pensamentos como: "Não vale a pena. Não funcionará". Ou, talvez, apenas uma saraivada de distrações hediondas. E o efeito desses ataques em Jesus era um transtorno emocional tremendo. O que Satanás queria produzir em Jesus era um espírito de abatimento que afundaria, sem oposição, em resignação e levaria Jesus a não realizar o que seu Pai lhe dera para fazer.

Agora, pense sobre isso por um instante. Jesus era um homem sem pecado (Hebreus 4:15; 2 Coríntios 5:21). Isso significa que o turbilhão de emoções que ele estava suportando aquela noite foi uma resposta adequada e apropriada ao tipo de teste extraordinário que ele estava experimentando. O pensamento demoníaco de que o Calvário seria um buraco negro sem sentido é tão horrenda, que *tinha* de fazer a alma de Cristo estremecer. Essa é a primeira onda de choque da explosão do abatimento. Mas não é pecado. Ainda não.

Mas aqui está algo surpreendente. O Evangelho de João diz que Jesus estava perturbado (João 12:27; 13:21). As primeiras ondas de choque do abatimento quebraram a tranquilidade de sua alma. Mas, nesse mesmo Evangelho, também é dito que os discípulos não deveriam ficar perturbados. Em João 14:1, Jesus diz: "Não se *perturbe* o coração de vocês (mesma palavra usada em 12:27 e 13:21). Creiam em Deus; creiam também em mim" (NVI). E em João 14:27, Jesus diz: "Deixo-lhes a paz; a minha paz lhes dou. Não a dou como o mundo a dá. Não se *perturbem* os seus corações" (NVI).

Em ambos os casos, Jesus está lidando com o perigo do abatimento. Os discípulos estavam começando a se sentir abatidos e sem esperança, porque o seu Líder e Amigo estava indo embora. Ao invés de irem se tornando mais iluminadas, as coisas foram ficando mais sombrias. Em ambos os casos, ele disse: Não fiquem perturbados e abatidos assim.

Agora, isso é uma contradição? Quando Satanás tenta Jesus e seus discípulos com o pensamento de que o futuro deles é sem esperança, é certo que Jesus se sinta abatido, mas não os discípulos?

Não se Perturbe o Coração de Vocês

Eu não acho que haja uma contradição. Veja como eles se encaixam. Jesus estava advertindo os discípulos contra *ceder* ao abatimento, *render-se* a ele sem resistência. Deixando-o apodrecer e se espalhar. E então ele diz, "Contra-ataquem: Creiam em Deus, creiam também em mim" (João 14:1). As primeiras ondas de choque da explosão do abatimento não são pecado. O pecado é não ligar a sirene de ataque aéreo, deixar de ir para os abrigos antiaéreos e não trazer à ação as armas antiaéreas. Se Satanás joga uma bomba em sua paz, e você não se prepara para a guerra, as pessoas desejarão saber de que lado você está.

É a mesma coisa com Jesus. As primeiras ondas de choque do abatimento que ele sente, por causa dos ataques da tentação, não são pecado. Mas ninguém sabia melhor do que Jesus a rapidez com a qual elas podem se tornar pecado, se não forem contra-atacadas imediatamente. Você não pode ler Mateus 26:36-39, e sair dizendo: "O abatimento não é tão ruim, porque Jesus passou por ele no Getsêmani, e ele não tem pecado". Ao contrário, você deve sair com uma impressão de quão sinceramente ele lutou contra a incredulidade do abatimento. Quanto mais nós deveríamos lutar!

Como Jesus Lutou na Hora Sombria

Houve várias táticas na batalha estratégica de Jesus contra o abatimento. Em primeiro lugar, *ele escolheu alguns amigos íntimos para estar com ele*. "Levando consigo a Pedro e aos dois filhos de Zebedeu" (Mateus 26:37). Em segundo lugar, *ele abriu sua alma para eles*. Ele lhes disse: "A minha alma está profundamente triste até à morte" (v. 38). Em terceiro lugar, *ele pediu sua intercessão e parceria* na batalha. "Ficai aqui e vigiai comigo" (v. 38). Em quarto lugar, *ele abriu seu coração ao Pai em oração*. "Meu Pai, se possível, passe de mim este cálice!" (v. 39). Quinto, *ele descansou sua alma na sabedoria soberana de Deus*. "Todavia, não seja como eu quero, e sim como tu queres" (v. 39). Em sexto lugar, *ele fixou os olhos na gloriosa graça futura que o aguardava do outro lado da cruz*. "Em troca da alegria que lhe estava proposta, [Jesus] suportou a cruz, não fazendo caso da ignomínia, e está assentado à destra do trono de Deus" (Hebreus 12:2).

Quando algo surge em sua vida que parece ameaçar o seu futuro, lembre-se: As primeiras ondas de choque da bomba não são pecado. O perigo real é render-se a elas. Desistir. Não armar nenhuma luta espiritual. E a raiz dessa rendição é a incredulidade – a incapacidade de lutar pela fé na graça futura. A incapacidade de valorizar tudo o que Deus promete ser para nós em Jesus.

Jesus nos mostra outra maneira. Não indolor, e não passiva. Siga-o. Encontre seus amigos espirituais confiáveis. Abra sua alma para eles. Peça-lhes para assistir com você e orar. Derrame sua alma ao Pai. Descanse em sua soberana sabedoria. E fixe os seus olhos na alegria colocada diante de você nas promessas preciosas e magníficas de Deus.

Não se Sente no Escuro

Pregue a si mesmo que até mesmo o grande apóstolo Paulo estava "atribulado, porém não angustiado; perplexo, porém não desanimado" (2 Coríntios 4:8); que Davi descobriu na escuridão que é "de um momento a sua ira [de Deus]; o seu favor dura a vida inteira. Ao anoitecer, pode vir o choro, mas a alegria vem pela manhã" (Salmo 30:5). Pregue a si mesmo o que Davi aprendeu em sua batalha com o desespero – que, mesmo quando ele diz desesperadamente: "As trevas, com efeito, me encobrirão, e a luz ao redor de mim se fará noite", existe, no entanto, uma verdade maior: "Até as próprias trevas não te serão escuras: as trevas e a luz são a mesma coisa" (Salmo 139:11-12).

A lição final do Getsêmani, do Calvário e do livro dos Salmos é que todas as cavernas escuras do abatimento são, na realidade, túneis conduzindo aos campos de alegria – para aqueles que não se sentam no escuro e apagam a vela da *fé na graça futura*.

Ele destrói o poder do pecado anulado.
Ele liberta os prisioneiros.
Charles Wesley

Se, pelo Espírito,
mortificardes os feitos do corpo,
certamente, vivereis.
Romanos 8:13

Ele nos tem dado grandíssimas e preciosas promessas, para que por elas fiqueis participantes da natureza divina, havendo escapado da corrupção, que pela concupiscência há no mundo.
2 Pedro 1:4

Capítulo Oito
LUTANDO CONTRA A LASCÍVIA

Você Cortaria Fora a Sua Perna?

Em 20 de julho de 1993, Donald Wyman estava limpando a terra perto de Punxsutawney, Pensilvânia, como parte de seu trabalho para uma empresa de mineração. No processo, uma árvore rolou na direção do seu tornozelo, causando uma grave ruptura e mantendo Wyman preso ao chão. Ele gritou por socorro por uma hora, mas ninguém veio. Ele concluiu que a única maneira de salvar a sua vida seria cortando a sua perna fora. Então, ele fez um torniquete com o cadarço do seu sapato e o apertou com uma chave inglesa. Em seguida, tomou o seu canivete e cortou através da pele, músculo e osso logo abaixo do joelho e se libertou da árvore. Ele se arrastou por trinta metros até uma escavadeira, dirigiu por quatrocentos metros até o seu caminhão, manobrou a transmissão manual com a sua perna boa e uma mão até chegar à casa de um fazendeiro a dois quilômetros e meio de distância, com a sua perna sangrando profusamente. O fazendeiro John Huber Jr. o ajudou a chegar a um hospital, onde a sua vida foi poupada.[44]

Jesus sabia que os humanos amam viver. Então, ele apelou para essa paixão, a fim de mostrar a importância da pureza. Assim como Donald Wyman cortou fora a sua perna para salvar sua vida, Jesus ordenou que arrancássemos nossos olhos para escapar do efeito fatal da lascívia. "Eu, porém, vos digo: qualquer que olhar para uma mulher com intenção impura, no coração, já adulterou com ela. Se o teu olho direito te faz tropeçar, arranca-o e lança-o de ti; pois te convém que se perca um dos teus membros, e não seja todo o teu corpo lançado no inferno" (Mateus 5:28-29). Claro, se você arrancar o seu "olho direito", como diz Jesus, você ainda consegue ver a revista com o seu olho esquerdo. Então, Jesus deve ter algo ainda mais radical em mente do que mutilação literal.

Reflita Sobre o Perigo da Lascívia

Alguns anos atrás, eu falei a um corpo discente do Ensino Médio sobre como combater a lascívia. Um dos meus tópicos era, "Pondere sobre o perigo eterno da lascívia", eu citei as palavras de Jesus – que é melhor ir para o céu com um olho do que para o inferno com dois – e disse aos alunos que o destino eterno deles estava em jogo, no que eles faziam com os seus olhos e com os pensamentos de sua imaginação.

Eu tentei contrapor a noção predominante de que a moralidade sexual pessoal – incluindo a vida da mente – é de importância moral menor. Estudantes idealistas (e adultos) muitas vezes pensam que o que eles fazem com seus corpos e suas mentes, a nível pessoal, não é importante. Se for pecado de alguma forma, é pecado com um "p" minúsculo. "Não deveríamos apenas ficar com as grandes questões, como a paz internacional, as estratégias ambientais globais, a reconciliação racial, a justiça social, as iniciativas de cuidados com a saúde e a eliminação da violência? Dormir por aí, simplesmente, não é grande coisa, se você estiver protestando por justiça; folhear a *Playboy* é totalmente insignificante, se você estiver a caminho das negociações de paz em Genebra".

Eu salientei que Jesus vê as coisas de forma muito diferente. Essas questões globais são importantes. Mas a razão pela qual elas são importantes é que todas elas têm a ver com pessoas – não apenas agregados estatísticos, mas indivíduos reais. E a coisa mais importante sobre as pessoas é que, diferentemente dos animais e árvores, eles vivem para sempre no céu glorificando a Deus, ou no inferno, desafiando a Deus. As pessoas não são importantes porque respiram. Elas são importantes porque têm a capacidade de honrar a Deus com os seus corações, mentes e corpos mesmo muito tempo depois de pararem de respirar – para sempre.

O que Jesus está dizendo, portanto, é que as consequências da lascívia serão piores que as consequências da guerra ou catástrofe ambiental. O flagelo final da guerra é que ela pode matar o corpo. Mas Jesus disse: "Não temais os que matam o corpo e, depois disso, nada mais podem fazer. Eu, porém, vos mostrarei a quem deveis temer: temei aquele que, depois de matar, tem poder para lançar no inferno. Sim, digo-vos, a esse deveis temer" (Lucas 12:4-5). Em outras palavras, o juízo final de Deus é muito mais temível do que a aniquilação terrestre.

A Lascívia e a Segurança Eterna

Após a minha mensagem no auditório do Ensino Médio, um dos alunos veio até mim e perguntou: "Você está dizendo, então, que uma pessoa pode perder a sua salvação"? Em outras palavras, se Jesus usou a ameaça do inferno para alertar sobre a gravidade da lascívia, significa que um cristão pode perecer?

Essa é exatamente a mesma reação que obtive alguns anos atrás, quando confrontei um homem sobre o adultério que ele estava vivendo. Eu tentei entender a sua situação e lhe implorei para voltar à sua esposa. Então, eu disse: "Você sabe, Jesus diz que, se você não lutar contra esse pecado com o tipo de seriedade que está disposto a arrancar o seu próprio olho, você irá para o inferno e sofrerá lá para sempre". Sendo um cristão professo, ele me olhou incrédulo, como se nunca tivesse ouvido nada parecido com isso na vida dele, e disse: "Quer dizer que você acha que uma pessoa pode perder sua salvação"?

Então, eu aprendi vez após outra, por experiência própria, que existem muitos cristãos professos que têm uma visão de salvação que a desconecta da vida real, anula as ameaças da Bíblia e coloca a pessoa pecadora, que afirma ser cristã, além do alcance das advertências bíblicas. Eu acredito que essa visão da vida cristã está confortando milhares que estão no caminho largo que leva à destruição (Mateus 7:13). Jesus disse que, se você não lutar contra a lascívia, você não irá para o céu. Não que os santos obtenham sucesso sempre. A questão é que decidimos lutar, não que tenhamos sucesso sem falhas.

Os riscos são muito maiores do que se o mundo for explodido por milhares de mísseis de longo alcance, ou terroristas bombardearem a sua cidade, ou o aquecimento global derreter as calotas polares, ou a AIDS aniquilar as nações. Todas essas calamidades podem matar apenas o corpo. Mas, se não lutarmos contra a lascívia, perderemos a nossa alma. O apóstolo Pedro disse: "Exorto-vos... a vos absterdes das paixões carnais, que *fazem guerra contra a alma*" (1 Pedro 2:11). As apostas *nessa* guerra são infinitamente maiores do que qualquer ameaça de guerra ou terrorismo. O apóstolo Paulo listou "prostituição, impureza, paixão lasciva, desejo maligno e a avareza", e disse: "Por estas coisas é que vem a ira de Deus" (Colossenses 3:5-6). E a ira de Deus é infinitamente mais temível do que a ira de todas as nações juntas. Em Gálatas 5:19, Paulo menciona a prostituição, a impureza e a lascívia, e diz: "Não herdarão o reino de Deus os que tais coisas praticam" (Gálatas 5:21).

A Fé Justificadora é a Fé que Combate a Lascívia

Qual é, então, a resposta ao estudante e ao homem vivendo em adultério? Nós somos justificados apenas pela graça, através da fé somente (Romanos 3:28, 4:5, 5:1; Efésios 2:8-9); e todos aqueles que são assim justificados serão glorificados (Romanos 8:30) – isto é, nenhuma pessoa justificada se perderá. No entanto, aqueles que se entregarem à impureza se perderão (Gálatas 5:21), e os que deixarem a luta contra a lascívia perecerão (Mateus 5:30), e aqueles que não buscarem a santidade não verão o Senhor (Hebreus 12:14), e aqueles que entregarem as suas vidas a desejos maus sucumbirão à ira de Deus (Colossenses 3:6).

A razão pela qual estes dois grupos de textos não são contraditórios é que a fé que justifica é também uma fé que santifica. A fé justificadora compreende Cristo como o nosso carregador de pecados crucificado, e nosso justificador ressurreto diante de

Deus, juntamente com tudo o que Deus promete ser para nós, nele. Da mesma forma, essa fé nos mantém compreendendo Cristo dessa maneira e, assim, torna-se o meio de santificação, bem como de justificação. O teste para saber se a nossa fé é o tipo de fé que justifica é se ela é o tipo de fé que santifica. Esses não são dois tipos diferentes de fé. Ambos compreendem Cristo, que suportou o nosso castigo, providenciou a nossa justiça, e promete satisfazer todas as necessidades até o fim dos tempos.

Robert Dabney, um teólogo presbiteriano do sul, do século dezenove, o expressa assim: "É pela instrumentalidade da fé que recebemos a Cristo como a nossa justificação, sem o mérito de qualquer uma de nossas obras? Bem. Mas essa mesma fé, se vital o suficiente para abraçar a Cristo, também é vital o suficiente para 'trabalhar por amor', 'purificar nossos corações'. Essa, então, é a virtude do evangelho livre, enquanto ministério de santificação, que a própria fé que abraça o presente torna-se um princípio de obediência inevitável e divinamente poderoso".[45]

A fé liberta do inferno, e a fé que liberta do inferno liberta da lascívia. Novamente, eu não quero dizer que a nossa fé produz uma *impecabilidade perfeita* nesta vida. Quero dizer que ela produz uma *luta perseverante*. A evidência da fé justificadora é que ela luta contra a lascívia. Jesus não disse que a lascívia desapareceria completamente. Ele disse que a evidência de sermos afeiçoados ao céu é que preferimos arrancar o nosso olho ao invés de nos contentarmos com um padrão de lascívia.

A principal preocupação deste livro é mostrar que a luta contra o pecado é uma batalha contra a incredulidade. Ou: A luta pela pureza é uma luta pela fé na graça futura. O grande erro que eu estou tentando desmascarar é o erro que diz: "A fé em Deus é uma coisa e a luta pela santidade é outra. Você obtém a sua justificação pela fé, e a sua santificação, pelas obras. Você começa a vida cristã no poder do Espírito, você continua avançando nos esforços da carne. A batalha pela obediência é opcional, pois somente a fé é necessária para a salvação final". Somente a fé é o instrumento que nos une a Cristo, que é a nossa justiça e a base da nossa justificação. Mas a pureza de vida que confirma a realidade da fé também é essencial para a salvação final, não como o fundamento da nossa posição justa, mas como o fruto e evidência de que estamos vitalmente unidos pela fé a Cristo, o único que é o fundamento da nossa aceitação com Deus.[46]

A Fé na Graça Futura Quebra o Poder do Pecado Cancelado

A batalha pela obediência é absolutamente necessária para a nossa salvação final, porque a batalha pela obediência é o combate da fé. A luta contra a lascívia é absolutamente necessária para a nossa salvação final, porque essa batalha é a batalha contra a incredulidade. Espero que você possa ver que esse é um evangelho melhor do que o outro. É o evangelho da *vitória* de Deus sobre o pecado, e não apenas a sua *tolerância* ao pecado. Essa vitória sobre o pecado não é o fundamento da nossa aceitação eterna por Deus. Cristo é. Nosso pecado é suportado por ele; a sua justiça conta para nós. Essa posição, nós temos somente pela fé antes de derrotarmos os pecados. Então, por essa mesma fé e sobre esta sólida posição de aceitação, nós mortificamos as nossas inclinações pecaminosas pela poderosa graça de Deus. Esse é o evangelho de Romanos 6:14: "O pecado não terá domínio sobre vós; pois não estais debaixo da lei, e sim da graça". Graça poderosa! Graça soberana! O tipo de graça que é o futuro poder de Deus para vencer as tentações da lascívia.

> Ele destrói o poder do pecado anulado
> Ele liberta os prisioneiros
> Seu sangue pode limpar o mais condenável
> Seu sangue útil para mim

O hino de Charles Wesley ("Mil Línguas eu Quisera Ter!") está certo: O sangue de Cristo conquistou para nós não apenas a anulação do pecado, mas também a conquista do pecado. É sob essa graça que vivemos – a graça de Deus que conquista o pecado, não apenas cancela o pecado. O triunfo sobre o pecado da lascívia tem tudo a ver com graça – graça passada, cancelando a culpa da lascívia através da cruz; e graça futura, vencendo o poder da lascívia através do Espírito. É por isso que a única luta que travamos é o combate da fé. Nós lutamos para sermos satisfeitos de tal forma com tudo o que Deus é para nós em Jesus, que a tentação do pecado perde o seu poder sobre nós.

Como se Mortifica a Lascívia?

Uma das maneiras que Paulo fala sobre esta batalha é dizer, "Se, pelo Espírito, mortificardes os feitos do corpo, certamente, vivereis" (Romanos 8:13). Isso é próximo ao ensinamento de Jesus de que, se estivermos dispostos a arrancar fora o nosso olho, ao invés de nos entregarmos à lascívia, entraremos na vida (Mateus 18:9). Paulo concorda que a vida eterna esteja em jogo na batalha contra o pecado: "Se viverdes segundo a carne, caminhais para a morte; mas, se, pelo Espírito, mortificardes os feitos do corpo, certamente, vivereis" (Romanos 8:13). A luta contra a lascívia é uma luta até a morte.

Como, então, obedeceremos Romanos 8:13 – mortificar as obras do corpo para matar a lascívia? Nós já respondemos: "Pela fé na graça futura". Mas, na prática, no que isso implica?

Suponha que eu seja tentado a entregar-me à lascívia. Algumas imagens sexuais vêm em minha mente e acenam para mim, a fim de que eu as persiga. A maneira como essa tentação obtém o seu poder é me convencendo a acreditar que serei feliz ao segui-la. O poder de toda tentação é a expectativa de que ela me fará mais feliz. Ninguém peca por um senso de obrigação. Nós abraçamos o pecado porque ele promete que, pelo menos em curto prazo, as coisas serão mais agradáveis.

Então, o que eu deveria fazer? Algumas pessoas diriam: "Lembre-se do mandamento de Deus para sermos santos (1 Pedro 1:16) e exercite a sua vontade de obedecer, porque ele é Deus"! Mas algo crucial está faltando nesse conselho, a saber, a fé na graça futura. Muitas pessoas que ambicionam melhoria moral não podem dizer: "Esse viver que, agora, tenho na carne, vivo pela *fé* no Filho de Deus, que me amou e a si mesmo se entregou por mim" (Gálatas 2:20). Eles tentam obter a pureza do amor, mas não percebem que esse amor é o fruto da fé na graça futura: "Em Cristo Jesus, nem a circuncisão, nem a incircuncisão têm valor algum, mas a fé que atua pelo amor" (Gálatas 5:6).

Como, então, lutamos contra a lascívia pela fé na graça futura? Quando a tentação da lascívia vem, Romanos 8:13 diz, na realidade, "Se, *pelo Espírito*, a mortificardes, certamente, vivereis". Pelo Espírito! O que significa isso? De toda a armadura que Deus nos dá para lutar contra Satanás, apenas uma parte é usada para matar – a espada. Ela é chamada de *espada do Espírito* (Efésios 6:17). Então, quando Paulo diz: "Mate o pecado pelo Espírito", eu tomo isso por, Dependa do Espírito, especialmente da sua espada.

Qual é a espada do Espírito? É a Palavra de Deus (Efésios 6:17). Aqui é onde a fé entra. "A fé vem pela pregação, e a pregação, pela palavra de Cristo" (Romanos 10:17). Essa Palavra evangélica sobre Cristo e sua obra salvadora nos assegura todas as riquezas de Cristo e as suas promessas. Essa Palavra, portanto, corta através da névoa de mentiras de Satanás e me mostra onde a felicidade verdadeira e duradoura pode ser encontrada. E, assim, a Palavra me ajuda a parar de confiar no potencial do pecado para me fazer feliz. Em lugar disso, a Palavra me leva a confiar nas promessas de Deus.

Quando a fé toma o controle no meu coração, eu estou satisfeito com Cristo e suas promessas. Isso é o que Jesus quis dizer, ao falar: "O que crê em mim *jamais terá sede*" (João 6:35). Quando a minha sede por alegria, significado e paixão está satisfeita pela presença e promessas de Cristo, o poder do pecado é quebrado. Nós não cedemos à oferta de um sanduíche, quando podemos sentir o cheiro de um bife chiando na grelha.

O combate da fé contra a luxúria é a luta para ficar satisfeito com Deus. "Pela fé, Moisés... [abandonou] os prazeres transitórios do pecado... porque contemplava o galardão (Hebreus 11:24-26). A fé não se contenta com "prazeres transitórios". Ela está ávida por alegria. E a Palavra de Deus diz: "Na tua presença há plenitude de alegria, na tua destra, delícias perpetuamente" (Salmo 16:11). Assim, a fé não será desviada em direção ao pecado. Ela não desistirá tão facilmente na sua busca pela alegria máxima.

O papel da Palavra de Deus é nutrir o apetite da fé por

Deus. E, ao fazer isso, ela aparta o meu coração para longe do sabor enganoso da lascívia. Em primeiro lugar, a lascívia começa a me enganar fazendo-me ter a sensação de que eu realmente perderia alguma grande satisfação, se seguisse pelo caminho da pureza. Mas, então, eu desembainho a espada do Espírito e começo a lutar. Eu li que é melhor arrancar o meu olho do que me entregar à lascívia. Eu li que, se eu pensar sobre coisas que são puras e amáveis e excelentes, a paz de Deus estará comigo (Filipenses 4:8-9). Eu li que a fixação da mente na carne traz a morte, mas a inclinação da mente sobre o Espírito traz vida e paz (Romanos 8:6). Eu li que a lascívia guerreia contra a minha alma (1 Pedro 2:11), e que os prazeres desta vida sufocam a vida do Espírito (Lucas 8:14). Mas o melhor de tudo, eu li que Deus não retém nada bom daqueles que andam na retidão (Salmo 84:11), e que os puros de coração verão a Deus (Mateus 5:8).

Enquanto eu oro para que a minha fé esteja satisfeita com a vida e a paz de Deus, a espada do Espírito retira o revestimento de açúcar do veneno da lascívia. E eu vejo isso pelo que é. E, pela graça de Deus, o seu poder sedutor está quebrado. Eu empunho a espada do Espírito contra o pecado da lascívia por crer na promessa de Deus mais do que eu creio na promessa da lascívia. Minha fé não é apenas uma crença que olha para trás na morte de Jesus, mas uma crença que olha adiante nas promessas de Jesus. Não é apenas ter a certeza do que ele *fez*, mas também estar satisfeito com o que ele *fará* – de fato, é estar satisfeito com o que ele fará, precisamente *por causa* do que ele fez (Romanos 8:32).

É essa satisfação superior na graça futura, dada pelo Espírito, que quebra o poder da lascívia. Com toda a eternidade em jogo, nós lutamos a luta da fé. Nosso inimigo principal é a mentira, que diz que o *pecado* tornará o nosso futuro mais feliz. Nossa principal arma é a Verdade, que diz que Deus fará o nosso futuro mais feliz. E a fé é a vitória que vence a mentira, porque a fé está satisfeita com Deus.

Combatendo Fogo com Fogo

Tenho dito muitas vezes aos jovens que eles devem combater fogo com fogo. O fogo dos prazeres da lascívia deve ser combatido com o fogo dos prazeres de Deus. Se tentarmos combater o fogo da lascívia apenas com proibições e ameaças – mesmo com os terríveis alertas de Jesus – falharemos. Devemos combatê-la com uma sólida promessa de felicidade superior. Precisamos envolver a pequena centelha de prazer da lascívia no incêndio da satisfação santa. Quando "fazemos aliança com os nossos olhos", como Jó fez (Jó 31:1), nosso objetivo não é apenas evitar algo erótico, mas também ganhar algo excelente.

Pedro descreveu este processo libertador poderoso, em 2 Pedro 1:3-4. Ele disse:

> Pelo seu divino poder, nos têm sido doadas todas as coisas que conduzem à vida e à piedade, pelo conhecimento completo daquele que nos chamou para a sua própria glória e virtude, pelas quais nos têm sido doadas as suas preciosas e mui grandes promessas, para que por elas vos torneis coparticipantes da natureza divina, livrando-vos da corrupção das paixões que há no mundo.

Como podemos escapar da corrupção que vem das "paixões" da luxúria? A resposta é que Deus nos deu uma revelação de "sua própria glória e virtude", expressa em suas "preciosas e mui grandes promessas". Essas foram dadas a nós para este mesmo propósito: que "por elas", possamos compartilhar o caráter de Deus e ser libertos da corrupção da lascívia. A chave é o poder das promessas. Quando estamos fascinados com a *preciosidade* e a *magnificência* delas, o resultado é a libertação das paixões, que não são, na realidade, nem preciosas nem magníficas. Paulo chama essas paixões escravizantes de "concupiscência do *engano*" (Efésios 4:22), e ele diz que o "desejo de lascívia" dos gentios decorre do fato de que eles "não conhecem a Deus" (1 Tessalonicenses 4:5). Da mesma forma, Pedro chama a esses desejos de "paixões que tínheis anteriormente na vossa *ignorância*" – isto é, a ignorância da glória de Deus e de suas preciosas e magníficas promessas (1 Pedro 1:14). O que Paulo e Pedro querem dizer é que esses desejos obtêm sua força ao mentir para nós, a fim de nos enganar. Eles recaem sobre a nossa ignorância das promessas de Deus. Eles afirmam oferecer prazeres preciosos e experiências magníficas. O que pode nos livrar deles? A Verdade atraente, inspiradora e cativante. A verdade das promessas preciosas e magníficas de Deus, que expõem a mentira da lascívia à luz da glória sobrepujante de Deus.

Os Puros Verão a Deus

No outono de 1982, a revista *Leadership* publicou um artigo assinado por um pastor que confessou anos de escravidão à pornografia do tipo mais grosseiro. Ele conta a história do que finalmente o libertou. É uma confirmação contundente do que eu estou tentando dizer. O autor se deparou com um livro de François Mauriac, romancista católico francês, *What I Believe* [O que Eu Acredito]. Nele, Mauriac admitiu como a praga da culpa não o libertou da lascívia. Ele conclui que há uma forte razão para procurar a pureza, aquela que Cristo nos deu nas bem-aventuranças: "Bem-aventurados os limpos de coração, porque verão a Deus" (Mateus 5:8). É a "preciosa e magnífica" promessa de que os puros verão a Deus que capacita nossa fuga da lascívia. O pastor apegado à lascívia escreveu:

> O pensamento me atingiu como um sino tocado em uma sala escura e silenciosa. Até agora, nenhum dos argumentos assustadores e negativos contra a lascívia havia conseguido me afastar dela.... Mas aqui estava uma descrição do que eu estava deixando passar, ao continuar nutrindo a lascívia: Eu estava limitando minha própria intimidade com Deus. O amor que ele oferece é tão transcendente e possessivo, que exige que as nossas faculdades sejam purificadas e lavadas antes que possamos contê-lo. Poderia ele, de fato, substituir, por outra sede e fome, aquela que eu nunca consegui satisfazer? Poderia a Água Viva, de alguma forma, saciar a lascívia? Essa foi a aposta da fé.[47]

Não era uma aposta. Você não pode perder, quando se volta para Deus. Ele descobriu isso na sua própria vida, e a lição que aprendeu está absolutamente correta: O caminho para combater a lascívia é alimentar a fé com a promessa preciosa e magnífica de que os puros de coração verão, face a face, o Deus de glória que tudo satisfaz.

O desafio diante de nós, em nossa luta contra a lascívia, não é simplesmente fazer o que Deus diz, porque Ele é Deus; mas desejar o que Deus diz, porque ele é glorioso. O desafio não é apenas *buscar* a justiça, mas *preferir* a justiça. O desafio é levantar-se de manhã e, em oração, meditar sobre as Escrituras como o único lugar onde podemos ver o evangelho da glória de Cristo. Aqui, encontramos o fundamento e o objetivo de todas as promessas de Deus, Jesus Cristo. Ele disse aos líderes judeus: "Examinais as Escrituras, porque julgais ter nelas a vida eterna, e *são elas mesmas que testificam de mim*" (João 5:39). E Lucas nos diz que, depois de sua ressurreição, no caminho de Emaús, ele apontou para si mesmo em *todas as Escrituras* – "Começando por Moisés, discorrendo por todos os Profetas, expunha-lhes o que a seu respeito constava em todas as Escrituras" (Lucas 24:27). O desafio diante de nós é meditar sobre as passagens que revelam a Cristo, até que experimentemos "gozo e paz em crer" nele e em suas "preciosas e mui grandes promessas" (Romanos 15:13, 2 Pedro 1:4).

Como a fé na graça futura nos satisfaz com a alegria que nos está proposta, a exigência bíblica para a pureza de coração não será penosa (1 João 5:3), e o poder da lascívia será quebrado. Sua compensação enganosa parecerá breve e rasa demais para nos atrair.

Conclusão

A ênfase deste livro foi diferente de uma ênfase frequente em livros sobre motivação para a obediência cristã. A ênfase muito comum é que a gratidão pela graça passada de Deus é a principal motivação para a obediência futura. Eu alertei no livro maior, do qual este se origina, que isso é arriscado. Isso pode levar, como tem feito a muitos, a pensar na obediência como um reembolso a Deus, pelo que ele fez por nós. Chamei esse erro de "ética do devedor".[48] Quando cada passo de obediência é sustentado e ativado pela ininterrupta graça futura, não pode surgir qualquer ideia sobre restituir a Deus.

Nem pode surgir qualquer ideia sobre sair da dívida de sua graça. Pelo contrário, a cada respiração nos afundamos mais em dívida à graça. E, graças a Deus, sempre será assim. Eu nunca serei benfeitor de Deus. Ele sempre será o doador inesgotável.

Deve ser assim, pois o doador recebe a glória. "Se alguém serve, faça-o na força que *Deus supre*, para que, em todas as coisas, *seja Deus glorificado*, por meio de Jesus Cristo" (1 Pedro 4:11). Servir a Deus não é pagar a dívida, é receber mais. Momento a momento, enquanto confiamos na graça futura ininterrupta, nós nos afundamos na dívida gloriosa.

Portanto, o espaço privilegiado para a gratidão é enorme. A cada momento de dependência da chegada da graça futura, o reservatório de graça passada está crescendo. A magnitude deste reservatório é o fundamento da gratidão alegre. Portanto, a nossa gratidão deve abundar mais e mais, a cada dia. Então, aqui, no final deste livro, olhando para trás para tanta graça passada, sinto-me atraído a homenagear o espaço da gratidão na vida cristã. Não é um espaço pequeno.

Um Tributo de Gratidão à Graça Passada

Existem maneiras pelas quais a gratidão ajuda a trazer obediência a Cristo. Uma delas é que o espírito de gratidão é simplesmente incompatível com algumas atitudes pecaminosas. Eu acho que é por isso que Paulo escreveu: "Não haja obscenidade, nem conversas tolas, nem gracejos imorais, que são inconvenientes, mas, ao invés disso, ação de graças" (Efésios 5:4, NVI). A gratidão é uma resposta humilde e feliz à boa vontade de alguém que se dispôs a fazer-nos um favor. Essa humildade e felicidade não podem coexistir no coração com atitudes rudes, repulsivas e más. Portanto, o cultivo de um coração grato deixa pouco espaço para tais pecados.

Não apenas isso, existe uma relação fundamental entre o olhar da gratidão para trás, para abraçar a graça passada, e o olhar da fé para adiante, para abraçar a graça futura. Elas são alegrias entrelaçadas que fortalecem uma a outra. Assim como a gratidão alegremente se revela nos benefícios da graça passada, também a fé descansa com alegria nos benefícios da graça futura. Portanto, quando a gratidão pela graça passada de Deus é forte, a mensagem dada é de que Deus é extremamente digno de confiança no futuro, por causa do que ele fez no passado. Deste modo, a fé é fortalecida por uma vívida gratidão pela confiabilidade passada de Deus.

Por outro lado, quando a fé na graça futura de Deus é forte, a mensagem dada é de que esse tipo de Deus não comete erros, de modo que, tudo o que ele fez no passado faz parte de um bom plano e pode ser lembrado com gratidão. Dessa forma, a gratidão é reforçada por uma fé viva na graça futura de Deus. Certamente, é apenas o coração de fé na graça futura que pode seguir o apóstolo Paulo, "dando *sempre* graças *por tudo* a nosso Deus e Pai, em nome de nosso Senhor Jesus Cristo" (Efésios 5:20). Somente se confiarmos em Deus para transformar as calamidades passadas em conforto futuro, poderemos olhar para trás com gratidão *por tudo*.

Este entrelaçamento da fé orientada para o futuro e da gratidão orientada pelo passado é o que impede a gratidão de degenerar-se para a ética do devedor. A gratidão pela graça passada está constantemente dizendo à fé: "Seja forte, e não duvide de que Deus será tão gracioso no futuro quanto eu sei que ele foi no passado". E a fé na graça futura está constantemente dizendo à gratidão: "Há mais graça por vir, e toda a nossa obediência deve basear-se nessa graça futura. Relaxe e exulte no seu banquete marcado. Eu, pela graça de Deus, assumirei a responsabilidade pela obediência de amanhã".

Riquezas da Graça Infinitamente Plenas e Infinitamente Duráveis

O que temos visto, neste livro, são oito breves resumos da "fé que atua pelo amor" (Gálatas 5:6). Eu digo com o apóstolo Paulo que o objetivo de tudo isso foi o amor que glorifica a Deus, que flui da fé na graça futura de Deus: "O *intuito* da presente admoestação visa o amor que procede de coração puro, e de consciência boa, e de *fé sem hipocrisia*" (1 Timóteo 1:5). Agora, na conclusão, eu quero simplesmente enfatizar a plenitude e duração infinitas da graça futura que sustenta a nossa alegria e nossa obediência para sempre.

Paulo fala, em Efésios 2:7, das "riquezas da sua graça [de Deus]". Seu ponto é que o transbordamento livre da plenitude inesgotável e autorrenovável de Deus é imensuravelmente grande. Não há fim para a graça, porque não há fundo na fonte de onde ela vem. Eu acho que é maravilhosamente incrível que Deus tenha nos ressuscitado com Cristo para o propósito expresso de derramar sobre nós as riquezas eternas da graça de Deus. Deixe que este propósito divino entre em seu coração: "Juntamente com ele, [Deus] nos ressuscitou, e nos fez assentar nos lugares celestiais em Cristo Jesus; *para mostrar, nos séculos vindouros, a suprema riqueza da sua graça, em bondade para conosco, em Cristo Jesus*" (Efésios 2:6-7).

Há duas coisas surpreendentes aqui. Uma delas é que o propósito da nossa salvação é para Deus derramar as riquezas da sua graça sobre nós. A outra é que levará a eternidade para ele fazer isso – futuro infinito. Esse é um pensamento poderoso. Deus nos deu vida e nos assegurou em Cristo, para que pudesse nos tornar os beneficiários da bondade eterna das infinitas riquezas da graça. Isso não é porque somos dignos. Muito pelo contrário, é para mostrar a medida infinita do *seu* valor. Graça não seria graça, se fosse uma resposta aos recursos em nós. A graça é *graça* porque põe em destaque os próprios recursos da bondade transbordante de Deus. A graça é *eterna* porque levará muito tempo para Deus despender o abastecimento inesgotável de bondade em nós. A graça é *gratuita* porque Deus não seria o Deus infinito e autossuficiente que é, se fosse compelido por qualquer coisa fora de si mesmo.

Isso mostra por que a graça futura é tão absolutamente crucial no grande plano de Deus de glorificar a si mesmo e satisfazer o seu povo. A maior parte da nossa experiência de graça ativa de Deus encontra-se no futuro. A graça que já experimentamos de Deus é infinitamente pequena, em relação à graça futura que experimentaremos a partir de agora até a eternidade. Sempre será assim, já que uma duração finita, até mesmo de milhões de anos, é pequena em comparação com a infinitude do futuro. Aqui está um tesouro a ser valorizado. Isso é o que a fé na graça futura faz. Ela valoriza "a suprema riqueza da sua graça, em bondade para conosco, em Cristo Jesus". Aqui está o grande mal da incredulidade. Será que não devemos confiar em tal promessa? Sim, devemos. E devemos lutar contra cada sopro de incredulidade com todas as nossas forças.

Mais um Olhar Sobre a Lógica do Céu

Assim, façamos a nossa despedida com a lembrança da sólida lógica do céu. Deus não poderia ter feito mais para provar a sua determinação em derramar sobre nós as imensuráveis riquezas da sua graça. Romanos 8:32 é a grande declaração de garantia da resolução de Deus. "Aquele que não poupou o seu próprio Filho, antes, por todos nós o entregou, porventura, não nos dará graciosamente com ele todas as coisas"? O impossível está feito: o Filho de Deus condenado impiedosamente para remover nossos pecados e prover a nossa justiça. Portanto, nada, absolutamente nada, impedirá Deus de nos dar "todas as coisas" com ele.

Aqui está um tributo digno a este grande verso de John Flavel, um pastor puritano de mais de trezentos anos atrás. Ele expressa a essência e a certeza da graça futura:

> "Aquele que não poupou o seu próprio Filho, antes, por todos nós o entregou, porventura, não nos dará graciosamente com ele todas as coisas?" (Romanos 8:32). Como é possível imaginar que Deus reteria, depois disso, bênçãos espirituais ou temporais de seu povo? Como é que ele não o chamaria eficazmente, justificaria livremente, santificaria completamente e glorificaria eternamente? Como é que ele não o vestiria, alimentaria, protegeria e libertaria? Certamente, se ele não poupou ao seu próprio Filho um golpe, uma lágrima, um gemido, um suspiro, uma circunstância de miséria, não se pode imaginar nunca que alguma vez, após isso, ele negaria ou reteria do seu povo, por cujo amor tudo isso foi sofrido, qualquer misericórdia, qualquer conforto, qualquer privilégio, espiritual ou temporal, que fosse bom para ele.[49]

Quando eu li isso a primeira vez, eu copiei para o meu diário e acrescentei uma oração. Ainda é a minha oração para mim e para você, leitor.

Ó, Senhor, eu creio, ajuda a minha incredulidade miserável. Que vida! Livre de murmuração e queixa, e cheia de riscos e de alegria e amor! Ó, crer nisso! Deus, eu quero viver nessa realidade. Ajude-me. Ó, não me poupe nada que me coloque nessa confiança gloriosa.

E agora eu acrescento: Ensina-me a lutar contra o oposto, ó Senhor. Faça-me um inimigo implacável de toda a incredulidade em meu próprio coração. Mostre-me mais habilidades guerreiras para saber como empunhar a espada do Espírito, para matar os dragões de engano e dúvida em minha própria alma. Se houver uma maneira de viver mais plenamente pela fé nesta invencível graça futura, eu quero conhecer essa vida. Ó Senhor, deixe-nos lançar mão da lógica do céu e sair para a liberdade do amor, e do risco, e do sofrimento, e da morte para a glória de Cristo e para o bem de todas as pessoas. Essa é uma das principais razões para eu ter escrito este livro – se por qualquer meio, eu puder entrar na experiência mais profunda de viver pela fé na graça futura, e tomar comigo quantas pessoas eu puder. Eu oro para que você venha comigo.

Notas

1. Ernest Gordon, *To End All Wars* [A Última das Guerras] (Grand Rapids, Michigan: Zondervan, 1963), pp. 101-102.
2. John Piper, *Graça Futura: O Caminho Para Prevalecer Sobre as Promessas Enganosas do Pecado* (São Paulo: Shedd Publicações, 2009).
3. Esse é o ponto crucial que eu tento desenvolver, de maneira mais completa, em John Piper, *Deus é o Evangelho: Um Tratado Sobre o Amor de Deus como Oferta de Si Mesmo* (São José dos Campos, São Paulo: Editora Fiel, 2011).
4. John Owen, *A Mortificação do Pecado* (São Paulo: Editora Vida, 2005).
5. Por uma explicação do que "todas as coisas" significa, veja *Graça Futura*, capítulo 8.

6. Ralph Georgy, "If God Is Dead, Then the Late 20th Century Buried Him" [Se Deus Está Morto, Então o Final do Século 20 o Enterrou], *Star Tribune* de Minneapolis, 12 de setembro, 1994.
7. Citado de Stephen Charnock, em *A Puritan Golden Treasury* [Um Tesouro de Ouro Puritano] (Edimburgo: The Banner of Truth, 1977), p. 223.
8. John Piper, *Graça Futura*, capítulos 14, 15, 16.
9. G. K. Chesterton, *Ortodoxia* (São Paulo: Mundo Cristão, 2008).
10. Uma citação de *Cristianismo Puro e Simples*, citado em *A Mind Awake: An Anthology of C. S. Lewis* [Uma Mente Desperta: Uma Antologia de C. S. Lewis], Clyde Kilby, ed., (Nova York: Harcourt, Brace and World, Inc., 1968), p. 115.
11. C. S. Lewis, *Letters of C. S. Lewis* [Cartas de C. S. Lewis], ed., W. H. Lewis, (Nova York: Harcourt, Brace and World, Inc., 1966), p. 256.
12. John Piper, *Desiring God: Meditations of a Christian Hedonist* [Desejando a Deus: Meditações de um Cristão Hedonista] (Portland, Oregon: Multnomah, 1986, 1996, 2003), p. 302.
13. O Hedonismo Cristão é uma visão de Deus e da vida que busca viver à luz da verdade bíblica de que Deus é mais glorificado em nós quando estamos mais satisfeitos nele. Destina-se a glorificar a Deus ao desfrutá-lo acima de todas as coisas. E lutar contra o pecado, cultivando uma satisfação superior em Deus. A declaração mais completa que dei sobre isso é encontrada em John Piper, *Desiring God* [Desejando a Deus]. Outro esforço para revelar as raízes do Hedonismo Cristão também é encontrado em John Piper, *A Paixão de Deus Por Sua Glória:*

Vivendo a Visão de Jonathan Edwards (São Paulo: Editora Cultura Cristã, 2008).
14. Estou ciente de que, no jargão psicológico comum, essa não tem sido a definição. A definição comum na psicoterapia tem sido esta: "Enquanto a culpa é um sentimento doloroso de remorso e responsabilidade pelas próprias ações, a vergonha é um sentimento doloroso sobre si mesmo como pessoa". Citação de *Facing Shame* [Enfrentando a Vergonha] por M. Fossum e M. Mason, em John Bradshaw, *Curando a Vergonha que Impede de Viver*, (Rio de Janeiro: Editora Rosa dos Tempos, 1997). Eu não adoto essa definição, primeiro, porque não é a definição usada nas Escrituras. Assim, o uso dela torna a compreensão e aplicação das Escrituras mais difícil. Em segundo lugar, eu não a uso porque, geralmente, anda de mãos dadas com uma avaliação da situação humana que minimiza a doutrina bíblica do pecado original (Bradshaw, p. 65), relativiza absolutos morais (Bradshaw, p. 199), rejeita condições bíblicas de amor (Bradshaw, p. 120) e transforma Deus na encarnação espiritual de aprovação absolutamente incondicional, que nunca diz, "deve", "precisa" ou "tem que".
15. Algumas vezes, nós falamos de nossos pecados, passado, presente e futuro, como já perdoados no passado, desde que foram "condenados" na morte de Jesus (Romanos 8:3) e cobertos pelo sangue de Cristo (Hebreus 9:14; 10:12), e perdoados através do seu sangue (Efésios 1:7). Outras vezes, falamos de Deus nos perdoando de uma maneira contínua, enquanto confessamos os nossos pecados (João 1:9) e pedimos por perdão (Mateus 6:12) com base na expiação permanente que ele fez por nós em Cristo.

16. Karl Olsson, *Passion [Paixão]* (Nova York: Harper and Row Publishers, 1963), pp. 116–117.
17. Ver *Graça Futura*, capítulo 17.
18. Richard Wurmbrand, *One Hundred Prison Meditations* [Cem Meditações da Prisão] (Middlebury, Indiana: Living Sacrifice Books, 1982), pp. 6–7.
19. Veja Roger Nicole, "B. B. Warfield and the Calvinist Revival" [B. B. Warfield e O Reavivamento Calvinista] em John D. Woodbridge, ed., *Great Leaders of the Christian Church* [Grandes Líderes da Igreja Cristã] (Chicago: Moody Press, 1988), p. 344.
20. B. B. Warfield, *Faith and Life* [Fé e Vida] (Edimburgo: The Banner of Truth, 1974, orig. 1914), p. 204.
21. Ver *Graça Futura*, capítulo 29.
22. H. C. G. Moule, *Charles Simeon* (Londres: The InterVarsity Fellowship, 1948, orig. 1892), p. 39.
23. Ibid., p. 172.
24. Martinho Lutero, *Da Liberdade do Cristão* (São Paulo: UNESP, 1998).
25. Ver *Graça Futura*, capítulo 16.
26. Jonathan Edwards, "The End of the Wicked Contemplated by the Righteous" [O Fim dos Ímpios Contemplado Pelos Justos] in *The Works of Jonathan Edwards* [As Obras de Jonathan Edwards], Vol. 2, (Edimburgo: Banner of Truth, 1974), pp. 207–208. Edwards ainda explica "por que os sofrimentos dos ímpios não causarão sofrimento aos justos, mas o contrário". Ele diz,

Negativamente; não será porque os santos no céu estarão sujeitos a qualquer disposição má; mas, pelo contrário, este regozijo deles será o fruto de uma disposição amável e excelente: será o fruto de uma perfeita santidade e conformidade a Cristo, o Cordeiro Santo de Deus. O diabo se deleita na miséria dos homens, fruto de sua crueldade, inveja e vingança, e porque ele se deleita na miséria, por sua própria causa, a partir de uma disposição maliciosa.

Mas será por princípios extremamente diferentes, e por muitos outros motivos, que a justa condenação dos ímpios será uma ocasião de regozijo para os santos na glória. Não será porque eles se deleitam em ver a miséria dos outros sendo absolutamente considerada. Os condenados, sofrendo a vingança divina, não serão uma ocasião de alegria para os santos apenas porque é a miséria dos outros, ou porque lhes é agradável contemplar a miséria dos outros apenas para seu próprio bem.... Não deve ser entendido, que eles se alegrarão em ter a sua vingança saciada, mas que se alegrarão em ver a justiça de Deus executada, e em ver o seu amor por eles ao executá-la sobre os seus inimigos.

Positivamente; o sofrimento dos condenados não será uma ocasião de tristeza para os habitantes celestiais, já que eles não terão *nem amor nem pena* pelos condenados como tal. Não será uma argumentação de falta de um espírito de amor neles, que eles não amem os condenados; pois os habitantes celestiais saberão que não é adequado que eles devam amá-los, pois saberão, então, que Deus não tem amor e nem piedade por eles.

Edwards põe em questão o argumento de que, uma vez que é certo e bom lamentar a falta de fé e a perdição dos homens agora nesta era (Romanos 9:1-3; Lucas 19:41), certamente seria correto sentir o mesmo na era por vir. Ele responde: "É

agora o nosso dever de amar a todos os homens, embora eles sejam maus; mas não será um dever amar os homens ímpios futuramente. Cristo, por muitos preceitos em sua palavra, tornou nosso dever amar todos os homens. Recebemos o mandamento de amar os homens ímpios, e os nossos inimigos e perseguidores, mas esse mandamento não se estenderá para os santos na glória, no que diz respeito aos condenados no inferno. Também não há mais a mesma razão por que se deveria. Devemos agora amar a todos e até mesmo os homens maus; nós não sabemos se Deus os ama. Não importa quão ímpio o homem seja, não sabemos se ele é aquele a quem Deus amou desde a eternidade; não sabemos se Cristo o amou com um amor de morte, teve o seu nome em seu coração antes que o mundo existisse, e teve respeito a ele quando suportou as agonias amargas na cruz. Nós não sabemos se ele será nosso companheiro na glória por toda a eternidade ....
Devemos buscar e nos preocupar aqui com a salvação dos homens ímpios, porque agora eles são sujeitos passíveis dela .... É mais um dia de graça para com eles, e eles têm a oferta de salvação. Cristo está até agora buscando a salvação deles; ele os está chamando, convidando e cortejando; ele está à porta e bate. Ele está usando de muitos meios com eles, ele os está chamando, dizendo: *Convertei-vos, convertei-vos, porque haveis de morrer?* ... Mas não será assim em outro mundo: o homem ímpio não será mais sujeito passível de misericórdia. Os santos hão de saber, que é a vontade de Deus que os ímpios sejam miseráveis por toda a eternidade. Deixará, portanto, de ser o dever dos santos buscar a salvação dos ímpios, ou se preocupar com a miséria deles. Por outro lado, será seu dever

regozijar-se na vontade e glória de Deus. Não é nosso dever nos entristecermos por que Deus tenha executado a vingança justa contra os demônios, sobre os quais a vontade de Deus em seu estado eterno já é conhecida por nós. (pp. 208-210)

27. Edwards, "The End of the Wicked Contemplated by the Righteous," p. 210.
28. Edward John Carnell, *Christian Commitment* [Compromisso Cristão] (Nova York: Macmillan Company, 1957), pp. 94-95.
29. Thomas Watson, *Body of Divinity* [Um Corpo de Divindade] (Grand Rapids, Michigan: Baker Book House, 1979, orig. 1692), p. 581. A definição de Watson para perdão é bastante útil, tanto para o que diz quanto para o que não diz. Ele pergunta: "Quando nós perdoamos os outros"? E ele responde: "Quando lutamos contra todos os pensamentos de vingança; quando não fazemos mal aos nossos inimigos, mas desejamos o bem para eles, lamentamos em suas calamidades, oramos por eles, buscamos reconciliação com eles e nos mostramos prontos em todas as ocasiões para ajudá-los" (p. 581).
30. Muitas versões da Bíblia usam "entregava-*se*". Mas a reflexividade do verbo não existe no grego original. Diz simplesmente "entregava".
31. Eu trato mais diretamente das questões mais complicadas de depressão e escuridão incessante em *Quando Eu Não Desejo Deus: O que Fazer Quando Não Nos Alegramos Nele* (São Paulo: Editora Cultura Cristã, 2010), capítulo 12, "Quando as Trevas Não se Dissipam". Veja também o pequeno livro da editora Crossway, baseado nesse capítulo, intitulado "When the Darkness Does not Lift" [Quando as Trevas Não se Dissipam].
32. Martyn Lloyd-Jones, *Depressão Espiritual* (São Paulo: Editora

PES, 2000).
33. Ibid.
34. Ibid.
35. Edwards, *A Vida de David Brainerd* (São José dos Campos, São Paulo: Editora Fiel, 1993).
36. Ibid.
37. Ibid.
38. Lloyd-Jones, *Depressão Espiritual*.
39. Darrel W. Amundsen, "The Anguish and Agonies of Charles Spurgeon" [A Angústia e Agonias de Charles Spurgeon] in *Christian History* [História Cristã], Edição 29 (Vol. 10, No. 1), p. 24.
40. Charles Spurgeon, *Lectures to My Students* [Leituras Para os Meus Alunos] (Grand Rapids, Michigan: Zondervan, 1972), p. 163.
41. Amundsen, "The Anguish and Agonies of Charles Spurgeon," p. 24.
42. Lloyd-Jones, *Depressão Espiritual*; Marcações em itálico adicionadas.
43. Ibid.
44. Relatado na *Star Tribune* de Minneapolis, 22 de julho, 1993.
45. Essa citação vem do ensaio convincente de Dabney sobre a necessidade de boas obras (incluindo a pureza sexual) à luz da livre justificação pela graça mediante a fé, Robert L. Dabney, "The Moral Effects of Free Justification [Os Efeitos Morais da Justificação Livre]," em *Discussions: Evangelical and Theological [Discussões: Evangélicas e Teológicas]* (Londres: The Banner of Truth, 1967, orig. 1890), p. 96.
46. Veja *Graça Futura*, capítulos 18–20.

47. "The Anatomy of Lust [A Anatomia da Lascívia]," revista *Leadership* (Outono de 1982), pp. 43-44.
48. Ver "A Ética do Devedor: Devemos Tentar Restituir a Deus?" e "Quando a Gratidão é Defeituosa" em John Piper, *Graça Futura: O Caminho Para Prevalecer Sobre as Promessas Enganosas do Pecado* (São Paulo: Shedd Publicações, 2009).
49. John Flavel, *The Works of John Flavel* [As Obras de John Flavel] (Edimburgo: Banner of Truth, reimpresso, 1988), p. 418.

FIEL MINISTÉRIO

O Ministério Fiel visa apoiar a igreja de Deus de fala portuguesa, fornecendo conteúdo bíblico, como literatura, conferências, cursos teológicos e recursos digitais.

Por meio do ministério Apoie um Pastor (MAP), a Fiel auxilia na capacitação de pastores e líderes com recursos, treinamento e acompanhamento que possibilitam o aprofundamento teológico e o desenvolvimento ministerial prático.

Acesse e encontre em nosso site nossas ações ministeriais, centenas de recursos gratuitos como vídeos de pregações e conferências, e-books, audiolivros e artigos.

Visite nosso site

www.ministeriofiel.com.br

Leia também:

COMO ACONTECE A SANTIFICAÇÃO?

DAVID POWLISON